IMPRESSIONNISME

Pierre Courthion

IMPRESSIONNISME

avec la collaboration de Marie-Odile Probst

⊛ Ars Mundi

EDOUARD MANET (1832–1883)

Peint en 1874

Argenteuil

Toile, 149 × 131 cm
Musée des Beaux-Arts, Tournai, Belgique

Ce tableau, pour lequel le peintre Rudolph Leenhoff beau-frère de Manet et une femme – qui assistait souvent aux régates – posèrent, est l'un des plus beaux coups de soleil de toute la peinture impressionniste. En dépit de l'emploi de larges taches de couleur posées sur un fond blanc, tout ici respire le plein air, la lumière et la chaleur du soleil. C'est la période où Claude Monet – suivant en cela l'exemple de Daubigny – peignit dans son atelier flottant, comme nous le montre Manet dans une de ses toiles.

Il est midi, sur l'eau rayée de soleil. Les poses sont étonnamment naturelles et les objets servant au canotage y sont disposés avec adresse. Le paysage se fond dans la pâle lumière du jour.

On reprocha à Manet d'avoir donné à la Seine une teinte exagérément bleue, méditerranéenne. Quelqu'un l'accusa d'être "retombé dans un état d'étudiant de vingt ans". "C'est une détestable croûte", écrivit un critique.

Malgré son désir de plaire aux femmes, et d'être admis au Salon, Manet fut l'un des plus bafoués des peintres. C'est en dépit de lui qu'il fut révolutionnaire.

Deux ans après avoir peint Argenteuil, il écrivait à Théodore Duret: "Aujourd'hui, je vais devant le jury. Ce soir ou demain matin je connaîtrai mon sort". Et la semaine suivante, il écrivait: "Mes deux tableaux furent refusés".

Argenteuil fut le quatrième tableau présenté à la vente de l'atelier de Manet en 1884. Il fut racheté pour la somme de 12.500 francs par Mme Manet, et revendu en septembre 1889 au peintre Van Cutsem qui à son tour le légua au Musée de Tournai.

ISBN 2 86 901 090 7

© 1985 HARRY N. ABRAMS, NEW YORK
et ARS MUNDI, FRANCE
1992, 2e édition

Imprimé et relié en Slovénie

TABLE DES MATIÈRES

IMPRESSIONNISME

1. Edgar Degas. *Musiciens à l'orchestre*.
1872. Toile, 69 × 49 cm.
Städelsches Kunstinstitut, Francfort

ci-dessous à gauche: 2. Claude Monet. *Femmes au jardin*.
1866–1867. Toile, 255 × 205 cm.
Musée d'Orsay, Paris

ci-dessous à droite: 3. Camille Pissarro. *La cueillette des pommes*.
1881. Toile, 65 × 54 cm.
Collection Mr et Mme William B. Jaffe, New York

4. Pierre-Auguste Renoir. *La Seine à Argenteuil.*
Vers 1873. Toile, 46,5 × 65 cm.
Musée d'Orsay, Paris

LES THÈMES

Du vert, du violet, des coulées de rose. En touches vives, multipliées, de frissonnantes verdures, des eaux parcourues de reflets zigzaguant, sillonnées de barques et de yoles. Une robe d'un vert faux glissant au détour d'une allée, des éclaboussures de soleil zébrant les couples étalés sur l'herbe. Une montée de tons, d'odeurs même, semble-t-il, dans les vergers en sève. Midi, roi des étés gonflant ses frondaisons derrière la table desservie. Des nus aux chairs opalescentes devant l'infini de la mer. Bals, fins de déjeuners, rues pavoisées, boulevards pullulant de passants et de fiacres, danseuses bengalisées aux feux des projecteurs, promenades dominicales dans les îles séquanaises – ce sont là les thèmes du peintre impressionniste.

Les grandes machines historiques, les tours de force, fini! Plus de chutes de damnés, d'enlèvements d'Europe, de Mort de Babylone! Plus d'idolâtrie de l'antique, plus de ces modèles encombrants! La chaleur de la vie remplacera la tiédeur de l'art suranné. On ne montrera plus avec ostentation ses connaissances de l'anatomie et de la légende. Qu'on ouvre les portes, qu'on les ouvre toutes grandes sur le vrai ciel et la fraîcheur de la campagne! Le plein air suffira désormais à l'enchantement.

LA FORMATION

Deux siècles après que Claude Lorrain l'eut pressenti quand, le matin, le midi et le soir, ivre de lumière et de nuances, il peignait ses mers étalées entre les portiques, une nouvelle équipe prenait la relève.

Ces jeunes peintres assoiffés de futur s'étaient rencontrés pour la plupart dans deux académies parisiennes: l'atelier libre qu'un ancien modèle, un nommé Suisse avait ouvert depuis la Restauration, sur le quai des Orfèvres, et l'Académie dirigée par Charles Gleyre, un Vaudois admirateur d'Ingres.

Dans l'atelier du père Suisse, il n'y avait ni professeurs ni élèves. Venait là qui voulait, jeunes ou vieux. Chacun y peignait à sa guise, d'après le modèle ou selon sa fantaisie, en toute liberté de recherche et de technique. Delacroix y avait travaillé ainsi que Bonington, Courbet et Manet.

Ce chantier républicain se trouvait au second étage. On y accédait, dit un ancien habitué, "par un escalier en bois, très vieux, très sale[1]". C'était une grande pièce, bien éclairée, qui n'offrait aux regards que les murs enfumés par plusieurs générations de travailleurs. Des bancs sans trop de rembourrage en prolongeaient la nudité encore soulignée par celle, absolue, du modèle tenant la pose.

Camille Pissarro venu là le premier (1857) parmi les futurs novateurs y sera rejoint par Claude Monet, Armand Guillaumin et Cézanne.

Tout autre était l'Académie dirigée par Charles Gleyre, petit homme portant lunettes, épris de classicisme, et où nous trouvons, en 1862, Renoir, Sisley, Bazille et Claude Monet, presque toute la pépinière des impressionnistes.

Généreux, modeste, "solitaire par nature et par choix[2]", Gleyre était hostile à la réalité et à ce qu'il appelait "cette satanée couleur[3]". Misogyne ou plutôt: *gynophobe*, mais obsédé par le corps féminin (passion que lui devra Renoir), il peignait en érotique refoulé des nudités glacées.

Dans l'atelier d'élèves où il faisait surtout dessiner, Gleyre était assez apprécié des étudiants (n'avait-il pas, au cours de son apprentissage, copié des Giotto à Padoue?). Monet seul lui résistait et se tenait à l'écart. "Quand on dessine une figure, dit un jour le patron, il faut toujours penser à l'antique[4]". Hérissé contre ses paroles de passéiste, Claude Monet entraîna ses amis hors de l'atelier. Ce fut la première réaction anti-académique du groupe des nouveaux créateurs.

DIURNES ET NOCTURNES

Au cours de son extension, une imposante suite de recrues allait se joindre au mouvement de ces peintres rapprochés par leur recherche de la modernité. Si nous pensons à l'ensemble de l'équipe, les impressionnistes différaient entre eux. Il y avait les partisans du plein air, de la clarté, de la réalité poétisée (Monet, Pissarro, Sisley, Berthe Morisot, Renoir); ceux que j'appellerai les *malgré eux* et qui se sont accommodés de l'impressionnisme ou l'ont dépassé (Degas, Bazille, Cézanne); ceux qui, plus tardivement, ont étudié le phénomène optique, les scientifiques du spectre solaire (Seurat, Signac, Dubois-Pillet, etc.); les précurseurs des Fauves (Gauguin, Van Gogh); enfin, les *minores* (Guillaumin, Mary Cassatt, etc.).

Les uns, les *diurnes* trouvaient leurs thèmes dans les variations de la lumière sur les paysages et les nus. Les autres, les *nocturnes* travaillaient le plus souvent à la lueur des rampes à gaz et de la scène des théâtres. Aussi, quoiqu'ils en fussent des partisans et des auteurs à part moins entière, comment éliminerions-nous de l'impressionnisme certains peintres, sous le prétexte qu'ils n'auraient pas été des adeptes convaincus du plein air? Tous, luministes ou noctiluques symphonisaient avec les couleurs et semblaient fredonner avec Laurent Tailhade:

> *Si tu veux, prenons un fiacre*
> *Vert comme un chant de hautbois.*

5. Pierre-Auguste Renoir. *Jardin à Fontenay*. Vers 1873. Toile, 50,5 × 61,5 cm. Collection Oskar Reinhart, Winterthur, Suisse

6. Camille Pissarro. *Paris, Boulevard Montmartre, effet de nuit.*
1897. Toile, 53,5 × 65 cm. National Gallery, Londres

7. Edgar Degas. *Le café-concert des Ambassadeurs.*
1867–1877. Pastel sur papier, 37 × 27 cm.
Musée des Beaux-Arts, Lyon

8. Richard Parkes Bonington. *Vue du parterre d'eau à Versailles.* 1826. Toile, 42 × 52 cm. Le Louvre, Paris

Témoins de la révélation historique du mouvement, Gustave Geffroy en a donné cette définition: "l'Impressionnisme – dans les œuvres qui le représentent le mieux – c'est une peinture qui va vers le phénoménisme, vers l'apparition et la signification des choses dans l'espace, et qui veut faire tenir la synthèse de ces choses dans l'apparition d'un moment[5]".

Pour Claude Monet et ceux de ses camarades qui sont les plus typiques représentants de cette poétique, il s'agit avant tout d'un moment ensoleillé, d'un instant de clarté. "Décomposer le rayon lumineux, en saisir la palpitation aérienne, le suivre dans son glissement autour des choses qu'il revêt d'une enveloppe colorée[6]", telle a été la singularité première de l'entreprise.

Bien que les Goncourt fussent les créateurs du genre auquel ils ont trouvé une expression littéraire avant même qu'il eût été baptisé[7], le nom d'impressionnisme fut donné par dérision à propos d'une toile de Claude Monet, peinte en 1872. Cette œuvre intitulée: *Impression, Soleil levant* fut accrochée à la première exposition de la nouvelle peinture, en avril 1874, boulevard des Capucines, à Paris, dans les locaux aux murs brun-rouge prêtés aux avant-gardistes par le photographe Nadar[8].

Auparavant, le groupe était assez mélangé. Après que ses adeptes eussent hésité sur l'appellation d'Ac-

9. Paul Cézanne. *Portrait de Gustave Geffroy.*
1895. Toile, 116 × 89 cm.
Collection particulière, Paris

10. Claude Monet.
*La rivière
(Argenteuil-sur-
Seine).* 1868. Toile,
81,5 × 100,5 cm.
The Art Institute,
Chicago. Collection
Potter Palmer

11. Stanislas Lépine. *Paris, le Pont de l'Estacade.* 1886. Toile, 14 × 23,5 cm. Collection particulière, Paris

tualistes inventée par Zola, celle de Réalistes proposée par Degas, et sur celle d'Intransigeants, le nouveau Salon prit le titre incolore de Société anonyme coopérative d'artistes peintres, sculpteurs, graveurs, etc.[9] Les participants étaient entre autres: Boudin, Lépine, Cals, Claude Monet, Degas, Cézanne, Guillaumin, Camille Pissarro, Renoir, Sisley.

Louis Leroy, persiflant chroniqueur du Charivari, prétexta la légende du tableau de Monet – paysage aux taches hardies, balayées, turnériennes – pour dénommer *impressionnistes* les chercheurs de modernité[10]. Lancé par dérision, le nom d'impressionnisme fut repris ensuite avec fierté par les peintres du groupe qui en firent leur étendard.

LES PRÉCURSEURS

Le signal donné par le "soleil levant" de Monet, rond comme une lune rouge, et reflété dans les eaux du bassin du Havre correspondait à une *"école des yeux*[11]*"* qui avait eu ses précurseurs en Rubens, Watteau et Delacroix. Il y avait eu surtout Turner, le peintre anglais qui, ébloui par la féerie lumineuse des tableaux du Lorrain, avait été momentanément jusqu'à les imiter avant de se montrer le créateur d'un Merveilleux à la fois magique et terrifiant et de recouvrir de sa somptuosité colorée les ruines du réel. Claude Monet et Camille Pissarro avaient été voir, à

Londres, en 1870, les peintures de ce magicien dont l'œil avait saisi cette chose imprécise, passagère, délicate: la nuance. Et c'est de la nuance qu'allaient s'enchanter désormais les peintres français qui la surprendraient dans les eaux et les ciels, les fumées et les

12. Paul Cézanne. *Paul Alexis lisant à Emile Zola.*
1869–1870. Toile, 131 × 161 cm. Musée d'Art, Sao Paulo, Brésil

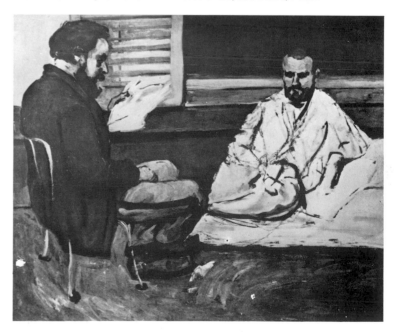

13. Félix Cals. *Dimanche à la ferme de Saint-Siméon (La cueillette des pommes)*.
1876. Toile, 59 × 120 cm. Collection Comte Arnauld Doria, Paris

14. Eugène Delacroix. *La mer vue des hauteurs de Dieppe*.
1852. Panneau, 35 × 51 cm. Collection Marcel Beurdeley, Paris

fleurs, les zébrures de soleil sur le corsage des promeneuses et le chandail des canotiers.

Plus près d'eux, il y avait Courbet et ses *Demoiselles des bords de la Seine* le tableau de plein air, peint en 1856. L'artiste, exilé depuis la Commune[12], y montrait aux jeunes peintres le réalisme d'une peinture dense, corporelle, fortement colorée, aux thèmes sains et frais. Aussi, à son départ, l'impressionnisme n'est-il, comme l'a dit Albert Aurier "qu'une variété du réalisme, un réalisme affiné, spiritualisé, dilettantisé… Le but visé, c'est encore l'imitation de la matière, non plus peut-être avec sa forme propre, mais avec sa forme perçue, sa couleur perçue. C'est la traduction de la sensation instantanée avec toutes les déformations d'une rapide synthèse subjective[13]". C'est dire que, tout imprégnés qu'ils fussent de la réalité qui leur était proche, les impressionnistes cherchaient inconsciemment le moyen de l'approfondir, de la poétiser au sens baudelairien du terme.

Déjà, Jongkind, "ce grand fou baragouinant de Hollandais, infatigable, ivrogne et écouteur du vent…" avait formé "l'arbre à dessin de l'impressionnisme[14]". Et Boudin avait abandonné, au Havre, une boutique de couleurs et de cadres pour se lancer dans la peinture des vacanciers et des belles crinolinées sur les plages du Calvados. Il était devenu ainsi le peintre des phénomènes atmosphériques, l'attrapeur de vents et de nuages. "Trois coups de pinceau d'après nature, disait-il, valent mieux que deux jours de travail au chevalet".

Enfin, il y avait Edouard Manet, le révolutionnaire malgré lui, dont la superbe et percutante *Lola de Valence* aux souples saveurs de pâte, le *Déjeuner sur l'herbe* et la justement célèbre *Olympia* avaient déclenché, dans le Paris des boulevardiers et des journalistes à la "Bel ami", la moquerie des sûrs-d'eux-mêmes. Manet, en ouvrant son art aux thèmes alors nouveaux du plein air et aux blondeurs du jour, allait

15. Gustave Courbet. *Les demoiselles du bord de la Seine*.
1856. Toile, 173 × 206 cm. Musée du Petit Palais, Paris

16. J.M.W. Turner. *Pluie, vapeur, vitesse*. 1844. Toile, 91 × 122 cm. National Gallery, Londres

17. J.M.W. Turner. *Intérieur à Petworth*. 1830–1837. Toile, 91 × 120 cm. Tate Gallery, Londres

18. Eugène Boudin. *Baigneurs sur la plage de Trouville.*
1869. Panneau, 30 × 48 cm. Musée d'Orsay, Paris

partiellement adopter la technique de Claude Monet qu'il voyait peindre – et qu'il peignit lui–même – dans son bateau-atelier sur la Seine d'Argenteuil. "Peintre sans solennité, a dit Armand Silvestre, Manet fut le premier à éclaircir la palette française et à y ramener la lumière[15]".

Ce que fut le cheval pour le Romantisme, le chêne de Barbizon et de Flagey pour le Réalisme, le soleil le devint pour l'Impressionnisme: il fut son symbole et son dieu.

C'en était fini des *tenebrosi;* Illuminée désormais et scintillante jusque dans les nocturnes de Whistler et les ballets de Degas, la peinture allait être "définitivement débarrassée de la litharge, du bitume, du chocolat, de jus de chique, du graillon et du gratin[16]".

CLIMATOLOGIE PICTURALE

Après les "Demoiselles" de Courbet, la Seine et ses rives, de son parcours parisien à son embouchure, sera l'atelier à ciel ouvert de tout l'Impressionnisme. C'est par ce fleuve que commence la longue, la lumineuse suite des œuvres qui font du Havre, de Honfleur, de Trouville et de Deauville, le berceau et le chantier de la nouvelle peinture. Tout part de là.

C'est à la ferme Saint-Siméon, l'auberge de la mère Toutain, sur la falaise honfleuroise que Boudin, Baudelaire, Courbet et Monet se rencontrent; et c'est non loin de là, à Port-en-Bessin, à Grandcamp, qu'après les innombrables vues du fleuve et de ses rives, peintes à Paris, à Argenteuil, à Vétheuil, à Giverny, à Rouen par ses devanciers, que Seurat achèvera le périple de la peinture séquanaise.

Quoiqu'il faille se garder de ne l'attribuer qu'à la seule France, l'Impressionnisme n'a fait qu'effleurer d'autres pays. S'il n'est pas lié à une race, il semble bien pourtant qu'il le soit à une contrée, à un climat situé entre l'estuaire de la Seine et la remontée du fleuve vers Paris (seuls ses derniers représentants émigreront vers la côte méditerranéenne[17]. Aussi, les historiens allemands ont-ils reconnu que, dans ses rares manifestations germaniques, il est "plus trouble, plus sombre et plus problématique que le Français[18]".

L'heure, son éclairage imprévu, n'est-ce pas là, pour l'impressionniste, la situation recherchée? Or, dans l'estuaire de la Seine – et singulièrement sur la baie de Sainte-Adresse – il est des moments, en plein été, où la lumière est celle, aveuglante, de Syracuse. Puis, cela se grise, cela s'oriente comme une perle fine.

N'oublions pas Etretat, dont la plage, avant Cour-

19. Eugène Boudin. *Personnages sur la plage de Trouville*. 1872. Panneau, 14 × 26 cm. Musée Eugène Boudin, Honfleur

20. Claude Monet. *La Grenouillère*. 1869. Toile, 74,5 × 100 cm. The Metropolitan Museum of Art, New York. Collection H.O. Havemeyer

21. Johan Barthold Jongkind. *La rue Saint-Jacques à Paris*.
1876. Toile, 56,5 × 45 cm. Collection particulière, Paris

22. A.-M. Lauzet. *Albert Aurier.*
1893. Gravure

23. Baudelaire. Photographie Nadar.
Bibliothèque Nationale, Paris

24. Eugène Boudin.
A la ferme de Saint-Siméon.
Vers 1867. Aquarelle.
Galerie Schmit, Paris.
(De gauche à droite:
Jongkind, le peintre
d'animaux Emile Van
Marcke, un buveur
inconnu et le père
Achard, un ami de
Boudin)

25. Henri Fantin-Latour.
L'atelier des Batignolles.
1870. Toile, 204 × 270
cm. Le Louvre, Paris.
(De gauche à droite:
Scholderer, Manet, Renoir,
Astruc [assis], Zola,
Maître, Bazille, Monet)

ci-dessous:
26. Edouard Manet.
Le déjeuner sur l'herbe.
1863. Toile, 214 × 270
cm. Musée d'Orsay, Paris

27. Claude Monet. *Les falaises d'Etretat.*
1885. Toile, 65 × 81 cm. Sterling and Francine
Clark Art Institute, Williamstown, Massachusetts

nait et les quittait tour à tour, suivant les changements du ciel. Et le peintre, en face du sujet, attendait et guettait le soleil qui tombe ou le nuage qui passe et, dédaigneux du faux et du convenu, les posait sur sa toile avec rapidité. Je l'ai vu saisir ainsi une tombée étincelante de lumière sur la falaise blanche et la fixer à une coulée de tons jaunes qui rendaient étrangement surprenant l'effet de cet insaisissable et aveuglant éblouissement. Une autre fois, il prit à pleines mains une averse abattue sur la mer et la jeta sur sa toile[21]".

LA TOUCHE IMPRESSIONNISTE

Il faut aussi parler technique.

En réaction contre la facture fignolée et le modelé lisse, continu des traditionalistes, la touche devenait de plus en plus apparente. Sèche ou humide, donnée par traînées ou par points, en coup de sabre ou en *glissendo,* plaquée par pression brusque du pouce ou à peine effleurée, elle hachait les reflets zigzaguant sur les eaux, animait la femme ou la fleur, illuminait les ombres de lueurs, virgulait le tableau d'un merveilleux désordre.

L'impressionnisme, c'était aussi la suppression du linéaire, du clair-obscur, les objets n'étant plus séparés de leur entourage, mais enveloppés d'atmosphère, parcourus de reflets. Plus de dessin arrêté, plus de contours coupants pour ces attrayants éplucheurs, mais l'incertain suivant la variation des heures, des lumières et du goût.

Plus encore, peut-être, que la couleur éblouissante,

bet, avait attiré les mondains du Second Empire. "Là, dit Michel Belloncle, le meilleur temps pour l'œil − sinon pour le confort − c'est le variable avec éclaircies. La lumière, modifiée d'un instant à l'autre, donne des tons surprenants à l'eau, à la grève, à la falaise[19]".

A Etretat[20], le jeune Guy de Maupassant a suivi Claude Monet à la recherche d'impressions. "Ce n'était plus un peintre en vérité, écrit-il, mais un chasseur. Il allait, suivi d'un enfant qui portait ses toiles, cinq ou six toiles représentant le même sujet à des heures diverses et avec des effets différents. Il les pre-

28. Edouard Manet.
Sur la plage. 1873.
Toile, 57,5 × 73 cm.
Musée d'Orsay, Paris

29. Berthe Morisot. *Eté*.
1879. Toile, 47 × 75 cm.
National Gallery, Londres

30. Pierre-Auguste Renoir. *La lecture*.
1875–1876. Toile, 47 × 38 cm.
Musée d'Orsay, Paris

ce qui choquait les formalistes, c'était, chez les novateurs, l'abandon de l'achevé ou, plus exactement, de
ce fini qui avait joué des tours à plus d'un, depuis le
règne de David. Combien avaient sombré dans la
plate monotonie pour avoir perdu la fraîcheur de
l'esquisse à force d'application! Et voilà que, tout
d'un coup, à la suite de Delacroix et de Turner, une
horde de sauvages se mettait à faire les ébaucheurs!
La nature dont ils s'inspiraient n'avait plus les contours nets de la patiente finition en atelier; elle fuyait
maintenant de partout. Evoquée d'un pinceau flou
en un essaim de touches fondues ou distinctes, elle
devenait brouillard, étincelles, brasier.

Désormais, on termine une étude, on ne finit plus
un tableau. On laisse possible la poursuite du travail.

31. Claude Monet. *Les déchargeurs de charbon*.
1872. Toile, 54 × 66 cm.
Collection Durand-Ruel, Paris

32. Edouard Manet.
*Claude Monet dans
son atelier flottant
(Argenteuil)*. 1874.
Toile, 82,5 × 104 cm.
Neue Pinakothek, Munich

33. Winslow Homer. *Femme sur la côte*.
1888. Toile, 58,5 × 38 cm.
Museum of Fine Arts, Boston

34. Edgar Degas. *Danseuse derrière un décor*.
Vers 1880. Pastel, 70,5 × 48 cm.
Collection Mrs H. Harris Jonas, New York

35. Alfred Sisley. *La Seine à Marly*.
1876. Toile, 60 × 74 cm.
Musée des Beaux-Arts, Lyon

36. Paul Cézanne. *Quai de Bercy à Paris*.
1880. Toile, 60 × 72 cm.
Kunsthalle, Hambourg

37. Georges Seurat. *Le Bec du Hoc à Grandcamp*.
1885. Toile, 65 × 81 cm.
Tate Gallery, Londres

38. Edouard Manet. *Emile Zola.*
1868. Toile, 145 × 114 cm.
Musée d'Orsay, Paris

Toutefois, l'acceptation de ne point s'annoncer vainqueur ne veut pas dire que l'on soit vaincu. Au contraire! L'esquisse d'un impressionniste va souvent plus loin que l'achevé d'un autre. Chez tous les artistes du groupe c'est, sinon la confiance absolue dans la sensation éprouvée (ce qui serait vrai de Monet, erroné de Cézanne), du moins, un certain abandon au flottant, à l'indéfini, à l'inspiration qui pousse la pensée et conduit la main porteuse de chaleur et de sensibilité.

La forme s'efface derrière la couleur. La lumière a son frémissement, sa palpitation continue. Frappés à la vue des estampes japonaises, certains peintres (Monet, Degas, Lautrec, van Gogh) ménagent leurs aplats et coupent leurs figures sans souci du cadrage.

Pour une fois, il fallait que, sur la toile, on sentît passer le vent, que l'on entendît frémir les feuilles, que l'on vît la brume recouvrir les choses, la danseuse évoluer dans la diaprure des projecteurs; et le soleil marbrer de ses rayons les chairs de la nymphe devenue baigneuse.

> *Et tout...*
> *Semblait fourbi, clair, irisé.*
> *Le liquide enchâssait sa gloire*
> *Dans le rayon cristallisé.*[22]

Marquer, dans l'"ajouté perpétuel[23]" que devenait sa peinture, une succession d'étapes, de départs, d'arrivées, au lieu de recommencer ce qu'avaient fait ses précurseurs, c'était là le destin du peintre impressionniste.

39. Edgar Degas. *Jockeys amateurs près d'une voiture.*
Vers 1877–1880.
Toile, 66 × 82 cm.
Musée d'Orsay, Paris

POÉTISER LA RÉALITÉ

Aussi, peu à peu, las de traîner avec la reproduction du motif une exigence qui ne pouvait que freiner leur ravissante improvisation (Cézanne seul saura garder le point de départ du réel pour en faire le tremplin d'une ascension), les peintres de l'équipe vont-ils substituer le reflet à la nature physique, la féerie à la réalité. Le plus impressionniste de tous peindra finalement par séries, éloignant ainsi de lui, en s'incorporant son sujet, en le sachant "par cœur", la préoccupation de reproduire.

Comment, dans ces conditions, par quel don miraculeux l'Impressionnisme a-t-il pu assurer une survie à la représentation de personnages? Selon Meyer Schapiro, la peinture du portrait pouvait difficilement continuer dans "la vision impressionniste du monde..." La physionomie humaine n'était-elle pas soumise, aux yeux des peintres du groupe, au même jeu de couleurs et d'improvisations que la mer et le ciel? Ne devenait-elle pas alors – "et de plus en plus, une surface ou un phénomène avec peu ou pas de vie intérieure?[24]". C'est certain. Mais les impressionnistes ne prétendaient pas être des psychologues, ils n'étaient pas des interrogateurs de visages. Le rayon lumineux, nous l'avons vu, a été leur aimantation principale. Dans la figuration de l'homme, seul les intéressait l'aspect extérieur, imprégné de l'atmosphère environnante. Aussi, certaines suspicions[25] tombent-elles de ce fait. Les nouveaux temps imposaient à Renoir, qui "mettait ses contemporains en tableaux[26]", une autre conception que celle des portraits du Titien

40. Vincent van Gogh. *Portrait du Père Tanguy*. 1887. Toile, 63,5 × 48 cm. Collection Stavros S. Niarchos

41. Paul Cézanne. *Le Mont Sainte-Victoire vu des Lauves*. Vers 1904–1906. Toile, 63,5 × 82 cm. Kunsthaus, Zurich

42. Pierre-Auguste Renoir. *La fillette à l'éventail*.
1881. Toile, 65 × 54 cm.
Sterling and Francine Clark Art Institute, Williamstown, Massachusetts

43. Edgar Degas. *Portrait de Duranty*.
1879. Aquarelle et pastel sur toile, 101 × 100 cm.
Art Gallery and Museum, Glasgow. Collection Burrell

ou de Rembrandt. Renoir a peint la foule dans ses remous de touches et de taches, les réunions d'amis autour des tables d'un bal de cabaret, la femme dans son apparition passagère et sa nudité florale ou fruitée. Pour lui, la présentation d'un personnage n'était plus un sujet noble, elle ne se distinguait plus d'un paysage ou d'une nature morte.

A eux tous — et mieux que les anciens — les impressionnistes ont peint ce qui passe (le vent dans la verdure, les promeneurs et les fiacres), ce qui glisse et ce qui fuit (les nuages, les fumées et les eaux fluviales), ce qui se déploie dans l'espace (les danseuses sur la scène, les courses de chevaux), ce qui palpite et qui respire (le cillement d'un regard, le torse ensoleillé d'une baigneuse). Tous, ils ont pris les choses dans leur aspect naturel, mais en faisant finalement de celui-ci une splendide irréalité, ce qui faisait dire à Robert de la Sizeranne: "Sous prétexte de mieux montrer les lumières reflétées par le monstre, ils ont caché le monstre[27]".

REPROCHES ET MÉDISANCES

Bien sûr, il y avait des critiques. Fromentin accusait les impressionnistes de fragmenter la réalité. Duranty répliquait en leur faveur, rappelant à l'auteur des *Maîtres d'autrefois* leur mérite à chercher la nouveauté dans le vivace aujourd'hui. On reprochait à ces coloristes leur facture large et bigarrée, leur *violettomanie*[28]. On parlait de leur perte de la notion du vert. On les accusait de "cacophonie", de bâclage, de "peindre des tableaux à faire se cabrer les chevaux d'omnibus[29]". On riait de leurs visages safranés, de leurs nus balafrés de taches de soleil, de leurs eaux écarlates. On dénonçait leur palette 'caméléone'. On disait que leur rendu n'allait pas au-delà du coup d'œil, que leurs paysages étaient vus à travers la vitre d'un wagon de chemin de fer[30]". Pour eux "l'usine valait le temple, l'habit le pourpoint et la locomotive le cheval de Phidias[31]".

Non contents de s'en prendre à leur art, les fignoleurs de l'Académie des Beaux-Arts traitaient de *communards* les novateurs; ils se faisaient fort de démontrer que leur révolution picturale coïncidait avec les journées d'insurrection de Paris en 1871. "Pour un peu, dit Geffroy, on aurait livré leurs tableaux aux pelotons d'exécution[32]".

CHEZ MM. LES PEINTRES INDÉPENDANTS, PAR DRANER.

44. Caricature par Draner sur l'exposition des Impressionnistes. *Le Charivari*, 23 avril 1879

Qu'avait-on à opposer du côté de l'Institut et de l'Ecole? Les marquisades à la Meissonier, les nus en grappes fessues de Bouguereau et de Cabanel, les portraits boueux de Bonnat, les pioupiouteries d'Alphonse de Neuville, les mérovingeries de Jean-Paul Laurens.

Devant le revirement qui s'opérait peu à peu dans l'opinion en faveur de Manet, de Monet, de Degas (de tous, Cézanne demeurait le moins compris, le plus attaqué, le plus malmené par la presse et le public), le haro des conservateurs vétilleux devenait plus âpre, plus méchant devant ce qu'ils appelaient "une bombe jetée à la face du public". En 1878, le jury officiel qui n'était pas encore revenu de la frayeur exercée sur les gens par la Commune de Paris, excluait du Salon Delacroix, Millet, Théodore Rousseau et, à plus forte raison, les impressionnistes. Le 8 août 1885, Camille Pissarro écrivait à Murer, le

46. Edouard Manet. *Théodore Duret.*
1868. Toile, 43 × 35 cm.
Musée du Petit-Palais, Paris

45. Pierre-Auguste Renoir. *Portrait de Caillebotte.* Détail de *Déjeuner des canotiers.* 1881. Toile, 130 × 173 cm.
The Phillips Collection, Washington

pâtissier-collectionneur: "Pensez qu'à Paris, nous sommes encore des galeux, des gueux; non, il est impossible qu'un art qui dérange tant de vieilles convictions réunisse l'assentiment".

Il y eut encore l'affaire Caillebotte, le peintre-amateur que l'on voit, assis en califourchon sur une chaise, au premier plan du *Déjeuner des canotiers,* de Renoir. Gustave Caillebotte avait acheté des toiles à presque tous les impressionnistes. Sa collection comptait une bonne partie de ce qui constitue, de nos jours, le Musée de l'Impressionnisme au Jeu de Paume, à Paris[33].

En 1883, Caillebotte, peintre "fatigué et retardataire", léguait par testament à l'Etat français soixante-cinq œuvres des impressionnistes. Prévoyant les difficultés que sa munificence ne manquerait pas de rencontrer auprès des pouvoirs publics, le collectionneur avait mis une condition à son legs: les toiles devaient être exposées à Paris, au Musée du jardin du Luxembourg et, plus tard, au Louvre.

Le don risqua fort d'être refusé. Après la mort de Caillebotte, en 1894, il y eut plus de trois ans de négociations avec l'administration des Beaux-Arts. Encore fallut-il transiger. C'est ainsi que vingt-sept toiles parmi ces œuvres alors qualifiées "d'ordures" furent rendues aux artistes ou à leurs héritiers. *Le Bal au Moulin de la Galette* dut son admission – parmi les trente-huit peintures retenues par l'Etat – au fait qu'un membre de l'Institut s'y trouvait portraituré parmi les modèles de Renoir.

Ce fut enfin, en 1900, lors de l'Exposition universelle, au Grand Palais, où les impressionnistes triomphaient, l'interjection de Gérome, le "pompier" glycérineux de la Société des artistes français: "Arrêtez, dit-il, au Président Loubet, barrant de ses bras écartés l'entrée de la salle qui scintillait de joie et de couleurs, arrêtez, Monsieur le Président! c'est ici le déshonneur de la France".

Pensant aux futurs commentateurs de l'impressionnisme, Théodore Duret, son premier historien, a souligné l'héroïsme des peintres et la valeur des hommes qui en faisaient partie. "On devra dire, écrit-il, que tous, épris avant tout de leur art, jaloux de le pousser dans des voies nouvelles, ne pensant qu'à réaliser la vision qui s'élevait en eux, ont subi sans défaillance les railleries, les injures, le mépris, qu'ils se sont tenus en dehors de la voie où s'obtiennent les faveurs du public et les encouragements officiels... Leur vaillance devra être proposée en exemple à tous ceux qui, au service d'une cause noble, pourront avoir, à leur tour, à braver les persécutions et à connaître la misère[34]".

Les Impressionnistes de la Grande Palette

Quelle sorte d'hommes, quelle sorte d'artistes étaient-ils, ces Impressionnistes? Quels étaient les liens qui les unissaient, les différences qui les séparaient? Comment exprimèrent-ils leurs talents respectifs?

CLAUDE MONET

L'œuvre de Monet, à elle seule, embrasse et couronne tout ce qu'il y a dans la période impressionniste de plus significatif. En "vagues de lumière" et "taches de couleur[35]", il sut transcrire sur la toile l'instant. Le *carpe lucem*. Maître virtuose de la lumière, il s'en fit le sujet dévoué. "Quand la nuit tombe", confiait-il à un ami, "je crois que je vais mourir[36]".

Les portraits que l'on a de lui nous le montrent autour de ses trente-cinq ans la barbe soignée, le regard jeune et décidé. Tabarant le décrit "trapu, étoffé, les épaules rentrées, comme sur la défensive, le regard pénétrant mais de côté, sur ses gardes".

Les personnages que Monet assemble dans ses premières toiles – dans les bois de Chailly où il travaille avec Bazille – il les dispersera bientôt jusqu'à les supprimer tout à fait dans ses champs de coquelicots. Il savait rendre comme personne les effets lumineux des jours de brume, des ondulations de l'eau, la fumée et les foules. Monet peignit ainsi paysages printaniers, hivers ensoleillés, rivières d'été, boulevards fourmillant de monde, automnes dorés. Duret le décrit, brosse en main "bravant le vent et le soleil, ou debout dans la neige. Il met une toile vierge sur son

47. Photographie de Claude Monet.
Musée Marmottan, Paris

48. Claude Monet. *Les coquelicots.*
1873. Toile, 50 × 65 cm.
Musée d'Orsay, Paris

ci-dessous:
49. Claude Monet. *La cathédrale
de Rouen, le portail, temps gris.*
1894. Toile, 100 × 65 cm.
Musée d'Orsay, Paris

chevalet, et commence à la couvrir de taches de couleurs. Souvent pendant la première séance, il ne fait
rien d'autre qu'une vague esquisse. Le lendemain, re-
tournant sur les lieux, il retravaille cette première
ébauche, et les détails surgissent, les couleurs se préci-
sent[37]".

Puis tout devient couleur, couleur éclatante, jusqu'au jour où le peintre commence sa série des meules de foin, des peupliers, des cathédrales. La représentation des objets reste cependant une de ses préoc-
cupations essentielles. La matière est riche, épaisse;
elle a parfois quelque chose du nougat, quelque chose
de la pâte beurrée.

Vers la fin de sa vie, son œil qui "saisissait jusqu'à
l'infini les diverses particules dont l'atome est formé[38]" s'attache à rendre les images reflétées sur l'eau,
miroir liquide des nymphéas. Dans l'atelier du peintre, l'étude des innombrables variations atmosphériques et leurs interactions sur les fleurs annihile le
temps. A la surface chatoyante de l'eau dans laquelle
le ciel se reflète, tout s'illumine, la lumière fait des
vagues, se répand, se diffuse comme se diffuse le son.

Dans ses derniers tableaux qu'il appela "les jardins
en fleur" la lumière et la couleur ont dissous matière
et réalité. Nous n'irons pas jusqu'à dire avec Albert
Aurier qu'il "atteignit le point où il pouvait illumi-
ner le rien par la somptuosité de sa couleur" mais le
maître de Giverny fait montre, peu de temps avant sa
mort, d'une technique dans son emploi de la couleur
et de la manière qui transfigure complètement l'objet
original. La toile devient harmonie pure entre les taches de couleur, les surfaces et les tonalités, elle devient une abstraction lyrique qui, à l'époque de sa
création (1923–1924), ne plut pas beaucoup aux Cubistes ni aux abstraits purs, mais qu'admirent aujourd'hui les partisans du style dit "informel".

32

ALFRED SISLEY

Comparé aux dons si divers de Monet, le talent de Sisley semble presque pauvre. Il y a peu de variété dans les scènes qu'il choisit pour thèmes: les berges de la rivière Loing noyées de rosée, reflets sur l'eau, routes de campagne mouillées de pluie, peupliers des rives de l'Yonne près desquelles il se retire.

Fils de parents aisés ruinés par la guerre franco-allemande de 1870, Sisley ne connut que la pauvreté[39]. Peindre les feuilles l'herbe, les buissons, le soleil du matin sur les champs enneigés lui procura consolation et sentiment de liberté.

Sa vie d'Anglais né à Paris, où, malgré son désir, il ne put se faire naturaliser français, se déroula, comme son œuvre, sans incident notoire. De tous les premiers impressionnistes, Sisley fut de son temps le plus déprécié et le plus méconnu, celui dont le travail provoqua le moins de commentaires. Peut-être était-il trop modéré au goût des collectionneurs audacieux, ou pas assez pour les nombreux amateurs d'effets faciles.

Néanmoins, à l'âge de trente-cinq ans, Sisley, qui devait mourir à soixante d'un cancer de la gorge, avait connu ses jours de gloire. Sa touche légère, vive, extrêmement expressive, sut créer des paysages de demi-jour, des paysages de neige, des rivières en crue inoubliables. Son pinceau, rapide, spontané, son emploi du lapis lazuli, du vert acide, de tons parfois difficiles à définir et cependant doués d'un fort pouvoir évocateur, surent saisir le frémissement le plus délicat de l'instant et l'incessante vibration de la lumière.

ci-dessus:
50. Photographie de Sisley à 35 ans.
Vers 1870–1875. Collection Durand-Ruel, Paris

ci-dessus à droite:
51. Alfred Sisley. *Temps de neige à Veneux-Nadon.*
Vers 1880. Toile, 55 × 74 cm.
Musée d'Orsay, Paris

à droite:
52. Alfred Sisley. *L'inondation à Port-Marly.*
1876. Toile, 60 × 81 cm.
Musée d'Orsay, Paris

CAMILLE PISSARRO

Pissarro ne fut guère mieux traité que Sisley par les critiques de son temps. Certains se moquèrent de son amour du vert, du violet et du bleu. D'autres n'aimaient pas ses opinions radicales. Il fut pourtant à la source même du mouvement impressionniste, bien qu'il ne réclamât point ce que d'autres lui refusaient de toute façon – lui refusaient à lui tout comme à ses compagnons, tous plus jeunes que lui mais auxquels il ressemblait: la gloire d'en avoir été l'initiateur. Maurice Denis nous parle de son regard doré, sombre, de son visage brun – espagnol, créole[40], ajoutant

que de "sa douce voix caressante, il prophétisait la société future".

Il était lent. Mais on ne doit pas oublier que c'est lui qui encouragea Cézanne à l'étude de la nature, brève mais glorieuse contribution. C'est lui qui montra du doigt "l'épi de blé, l'oignon et la pom-

55. Maximilien Luce.
Pissarro, portrait avec béret.
Bibliothèque Nationale, Paris

53. Camille Pissarro. *Jardins potagers à l'Ermitage, Pontoise.* 1879. Toile, 55 × 65 cm. Musée d'Orsay, Paris

54. Camille Pissarro.
La route, effet de pluie.
1870. Toile, 40 × 56,5 cm.
Sterling and Francine Clark
Art Institute, Williamstown,
Massachusetts

me[41]." Champ de Choux, Carré de Choux, voilà les titres de ses jardins "potagers". Dans son œuvre, il sut hausser les attraits de la campagne et de tous les produits que l'on achète sur les places de marchés au rang de ce que Ingres avait appelé la peinture de l'histoire.

Comme Millet, mais avec un sentiment moins dévotieux Pissarro aimait les troupeaux de moutons, les paysannes poussant devant elles des brouettes de pommes de terre, les cerisiers et les pommiers en fleurs, les futaies, les baigneuses en chemise sur les berges des rivières. A tout cela, il sut communiquer par sa touche franche et saine une qualité de douceur et d'enchantement paisible.

De nos jours, le temps aidant, l'Impressionnisme a perdu l'attrait de la nouveauté. Mais les toiles de Pissarro ont acquis une importance imprévue, sentant bon la terre et irradiant un très grand amour de la nature.

Cette connaissance intime de la nature alterna chez Pissarro avec un engouement pour Paris, qui lui inspira ses vues de boulevards, de la Place du Théâtre

Français, du Pont-Neuf, du Quai Henri IV, où, patriarche barbu, le peintre finit ses jours.

Ces trois paysagistes impressionnistes, Armand Silvestre, en 1873, les qualifiait en des termes qui semblent encore aujourd'hui appropriés "Monsieur Monet est le plus habile et le plus audacieux, Monsieur Sisley le plus harmonieux et le plus modeste, Monsieur Pissarro le plus réaliste et le plus naturel[42]".

PIERRE AUGUSTE RENOIR

La métamorphose à laquelle Monet et ses compagnons soumirent la facture du paysage académique, Pierre-Auguste Renoir y soumit la figure humaine. Une atmosphère inimitable entoure les groupes qu'il représente: couples du dimanche valsant en plein air à Bougival, à la baignade de la Grenouillère. La vie est là, sous les ombres portées des arbres, dans le regard d'une femme, le bout d'une cigarette, un tour de valse.

Reprenant certains des thèmes chers à Manet, Re-

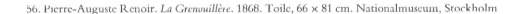

56. Pierre-Auguste Renoir. *La Grenouillère*. 1868. Toile, 66 × 81 cm. Nationalmuseum, Stockholm

57. Pierre-Auguste Renoir. *Portrait de Jeanne Samary*.
1877. Toile, 46 × 44 cm.
Collection Comédie-Française, Paris

noir les approfondit, les exalte, les enveloppant d'un halo de lumière. Il sait comment traduire le rose d'une gorge sous la mousseline d'une robe, le tracé d'un profil. Pour façonner la blondeur d'une tête d'enfant, il n'a pas son pareil, ni pour donner aux cils d'une parisienne ce ton velouté et sombre que l'on trouve au cœur d'un coquelicot.

Contrairement à Monet, c'est un Renoir jeune qui "grand, le teint blafard, un peu gauche, le regard sans cesse en mouvement[43]" fréquente ceux qui se réunissent au Café Guerbois.

Il montre un amour des femmes qui lui fera prendre comme modèle aussi bien la jeune fille pudique et craintive que la femme mûre aux charmes épanouis, la femme enceinte toute gonflée d'assurance, et la mère radiante de bonté généreuse. Certaines de ses baigneuses aux "fortes cuisses de déesses" qu'il peignit après 1900 sont d'une resplendissante sensualité. Mains qui jouent avec l'eau, bras levés au-dessus d'opulentes chevelures, poses Olympiennes dans de chatoyantes flaques de lumière. Où est la "vieille sorcière" que Cézanne, s'entourant des mille précautions d'un provincial que ses voisins épient, utilisa comme modèle à Aix? Où est-elle, comparée à ces lèvres gonflées d'une joie sauvage, cette chair sensuelle qui à nos yeux semble ne devoir jamais se flétrir?

36

Cet homme au regard brillant, au chapeau de feutre rond, cette maigre figure qu'allonge encore la courte barbe, eut une vie sans histoire jusqu'au jour où il fut accablé de rhumatismes.

Vers la fin de sa vie, à Cagnes, les doigts déformés par la maladie, le corps tordu comme un olivier, c'est la seule image de Renoir dont je puisse rassembler les traits. Mais si j'évoque son nom, ce qui m'apparaît, c'est, sur un fond vert émeraude, le torse nu d'une jeune fille.

Loin de se soumettre comme Monet et Sisley, à l'analyse des différentes variations de la lumière (exception faite pour ses paysages cotonneux, ce qui fit dire à Degas de leur auteur: "il est comme un chat qui joue avec des pelotes de fil de couleurs". Renoir trouve seul, en lui, les thèmes de ses toiles. Il nous convie à une ineffable fête pour les yeux, dont il trouve les éléments dans sa sensibilité.

Son emblème pourrait être la rose, c'est elle qui vient à l'esprit quand on parle de lui, la rose rouge d'Aphrodite, et la rose resplendissante, la rose génératrice.

Rendons grâce à celui qui, nous donnant à voir ces merveilles en pleine lumière, réussit à nous convaincre que tout sur terre a su garder la transparence de jours heureux, et de plus sans aucune grandiloquence, sans cérébralité, et même, semble-t-il, sans idée préconçue. Rendons grâce à ce faune qui se délecte de chair et de verdure. Tout ce qui bouge et fleurit a pris, sous sa main, une aura éternelle.

58. Renoir peignant un nu dans son atelier de Cagnes.
Photographie Sirot. Bibliothèque Nationale, Paris

59. Manzi. *Degas de profil*. Gravure

EDGAR DEGAS

L'air railleur, le nez en l'air, le regard indécis sous le
sourcil tombant, Degas ne restait jamais assis longtemps au Café Guerbois, qui fut un temps le lieu de
rendez-vous des peintres. Très cultivé, de goûts clas-
siques, ce "novateur... que l'humour et la modestie
sut protéger des haines déchaînées contre de plus
bruyants[44]" avait en horreur les néologismes à la
Goncourt, et détestait tout ce qu'il jugeait "bougue-
reautisé". Dans l'ensemble, cependant, son œuvre est
plus sombre que celle de ses compagnons. Avec
Whistler, ce "monsieur rare, ce prince" (Mallarmé),
Degas ne fut pas un impressionniste de la lumière de
plein air (dont il use peu dans ses toiles) mais un impressionniste de la lumière artificielle, celle des théâtres et de l'opéra.

L'un de ses modèles raconte que, délaissant l'estra-
de, il la fit faire de "difficiles mouvements", prendre
"une attitude où il lui fallait cambrer le dos et éten-
dre les muscles jusqu'au bout des doigts[45]", alors
qu'assis il sirotait une infusion. C'est ainsi qu'il fit ses
petites études de glaise pour ses nombreuses sculptures, aux mouvements si naturels.

Degas, qui aimait à chanter des airs de Don Juan

60. Edgar Degas. *Grande danseuse habillée*.
1880–1881. Bronze, hauteur 98 cm.
Musée d'Orsay, Paris

en italien ne peint pas "la chair nue et lisse des déesses" mais "la chair au moment des ablutions[46]" dont
il suivait les contours, les yeux à demi-clos derrière
ses lunettes.

Nous savons par sa nièce que Degas ne fut jamais
totalement aveugle. Il avait perdu l'usage d'un œil, et
voyait imparfaitement de l'autre[47]. Il essayait de se
consoler par l'œil mécanique de l'appareil photo-
graphique, mais il avait à ce sujet peu d'illusions.

On le surnommait le "grizzli". Dans son avant-
dernier atelier, Rue Victor Massé, il vivait dans un
fatras de boîtes et de cadres, sommeillant dans son
fauteuil, face au Bal Tabarin où il ne lui était plus
permis d'aller. Sa logeuse, Zoé Closier, lui lisait des
passages de La Libre Parole, le journal antisémite de
Drumont.

Vers la fin de sa vie, vieux célibataire, ne voyant
plus grand'chose, torturé par une maladie de la ves-

61. Degas à son vieil âge. Photographie Bartholomé.
Bibliothèque Nationale, Paris

sie, il parlait peu. "La peinture ne m'intéresse plus",
disait-il à des admirateurs venus lui rendre visite au 6,
Boulevard de Clichy, le dernier atelier où il avait,
presque cessé de peindre. Robert de la Sizeranne raconte l'y avoir vu, arpentant la pièce de long en large. Il interrompait parfois sa marche et sa méditation
silencieuse pour demander tout soudain: "Et celui-ci?
celui-là?" "Mort" était-on obligé de répondre la plupart du temps. "Ah!", et il reprenait sa marche. On
disait qu'il comptait ceux qui étaient morts et attendait d'avoir atteint un certain chiffre pour les rejoindre[48].

BERTHE MORISOT

C'est une femme qui sert de lien entre Manet, qui fut
son admirateur (elle était de neuf ans plus jeune) et le
groupe des Impressionnistes. Au début élève de Corot, elle attendit la venue de Claude Monet pour reprendre à son compte, avec une sensibilité exception-
nelle, la technique d'apparente improvisation.

Berthe Morisot réussit à préserver et tout à la fois
à se servir de ses qualités féminines en toutes choses.
Prisonnière volontaire et heureuse de sa famille, elle
réussit à transformer la vie de tous les jours. Voyez
comme elle parle de l'une de ses semblables: "Dans

62. Berthe Morisot.
Partie de cache-cache.
1873. Toile, 45 × 55 cm.
Collection Mr et Mme
John Hay Whitney,
New York

63. Berthe Morisot.
Sur le lac (petite fille au cygne). Peint au Bois de Boulogne, 1889. Toile, 65 × 54 cm. Collection Prentis Cobb Hale, San Francisco

ci-dessous:
64. Edouard Manet.
Berthe Morisot.
1872. Gravure

cette clarté, elle était restituée à merveille, le satin s'animait au contact de la peau, l'éclat lustré des perles au contact de l'atmosphère[49]".

Avec une plus grande puissance que Mary Cassatt, l'amie américaine qu'elle reçut chez elle Rue Weber près de la Porte Dauphine, et qui peignit des figures de mères, Berthe Morisot sut transcrire des sensations pleines de grâce jusque dans les esquisses les plus enlevées aussi bien à l'huile qu'a l'aquarelle ou dans ses pastels.

On aime l'univers qu'elle décrit, où des enfants jouent dans les bocages pommelés d'éclats de lumière et d'ombres, où les cygnes du Bois de Boulogne glissent au milieu des barques, où les profils se tendent vers la mer. Tout chez Berthe Morisot nous arrête et nous convie à sa touche, ses couleurs à l'étonnante liberté de son style.

En dépit des louanges de Mallarmé et de Valéry, je ne crois pas que l'œuvre de cette femme soit assez reconnue. Cela est peut-etre dû au fait que son travail n'est pas représenté de la façon dont il le mérite au Louvre et dans d'autres musées français.

Dans les nombreux portraits qu'Edouard Manet nous a laissés d'elle, nous la voyons tour à tour agitée et calme, cachée derrière un éventail, de profil ou de face, le regard sérieux et pénétrant comme agrandi par quelque secret.

65. Paul Cézanne. *Nature morte aux oignons*. 1895-1900. Toile, 66 × 82 cm. Musée d'Orsay, Paris

PAUL CÉZANNE

De tous les Impressionnistes, Paul Cézanne fut le seul à se méfier de la spontanéité, de l'impulsion qui demandait un emploi rapide de la couleur, emploi que l'on peut voir cependant dans ses toiles du début qu'il appelait ses "orgies", et qui sont marquées par un érotisme d'écolier. "C'est beau", disait Sérusier d'une pomme peinte par cet artiste exigeant. "Personne n'oserait l'éplucher, ils voudront tous la copier[50]".

L'art pour Cézanne est une voie vers la connaissance. Les affres de la quête de l'identité, la recherche d'un état pas à pas atteint, pour lui, prirent la place du seul et pur plaisir de peindre qui semblait suffire à ses compagnons. C'est la raison de sa nervosité et de son mal de vivre qui résulte d'une incapacité à se satisfaire.

Il ne pouvait se suffire d'une "vue", il aspirait à la "vision". S'il lui arrivait de ressentir de l'intérêt pour une "vieille rue pittoresque", "la chair le rendait malade". L'harmonie élevée à laquelle il aspirait le conduisit à déformer la réalité matérielle pour mieux l'atténuer. "Frenhofer", dit-il un jour à Joachim Gasquet, se désignant lui-même[51].

Cézanne ne désavoua pas pour autant ses liens avec l'Impressionnisme. "Je ne cache pas", dit-il, "que moi aussi j'ai été Impressionniste. Pissarro eut beaucoup d'influence sur moi. Mais je voulais faire de l'Impressionnisme quelque chose de solide et de durable, comme l'art des Musées[52]".

Bientôt l'artiste qui aurait aimé "marier les courbes des femmes aux pentes des collines[53]" en vint à trouver Pissarro, son aîné de huit ans et avec qui il avait peint à Pontoise, en 1873, un peu trop "terrien" à son goût. De même, il rendit hommage à l'unité de ton chez Guillaumin qui lui avait enseigné la gravure chez le Docteur Gachet à Auvers-sur-Oise. Il ne voyait en Renoir que l'artiste "habile" et préférait Lautrec à Degas. Seul Monet, dont l'art, pourtant, était spontané, immédiat dans ses effets et totalement à l'opposé du sien, échappait à ses critiques. Chez Monet il admirait "l'œil du peintre le plus fin qui ait jamais existé[54]".

Si la recherche picturale de Cézanne le classe à part, il y a néanmoins chez lui des traits qui en font un Impressionniste. Avant tout le plein air, son attachement au réel (n'essayait-il pas de faire comme Poussin mais dans le domaine de la nature?). Puis la couleur qui est pour lui inséparable de la lumière. Il mettait la couleur au-dessus de tout, au point de dire: "Quand la couleur est à sa richesse, la forme est à sa plénitude[55]".

Timide et violent, émotif au plus haut point, il y avait en Cézanne un mélange très particulier de mysticisme et de sens du réel. "Nous ne sommes rien qu'un petit bout de chaleur solaire emmagasinée et organisée, un souvenir de soleil, un petit bout de phosphore qui brûle dans les méninges du monde[56]", disait-il, lisant Lucrèce. Mais son intelligence ne se satisfaisait pas d'être déductive; il contempla les choses de ce monde et fortifié par l'intuition, adhéra à la foi chrétienne. Gasquet se le rappelle au Tholonet "après les Vêpres, la tête nue, magnifique dans le soleil, au centre d'un large cercle de jeunes gens respectueux, suivant le dais dans la procession des Rogations[57], et s'agenouillant le long du chemin au bord des champs, les larmes aux yeux[58]".

Pour lui, tout résultait d'un conflit intérieur. "L'art qui n'a pas sa source dans l'émotion n'est pas l'art", aimait-il à dire. Mais son œuvre n'a pas les accents rapides d'un Monet, d'un Sisley ou d'une Morisot; elle est, au contraire, patiente et résolue. "Comment fait-il?" s'étonnait Renoir. "Il donne deux coups de pinceau sur une toile et c'est déjà bon[59]".

A Aix, faisant corps avec son bout de terre, il ne levait pas les yeux de la toile avant la tombée de la nuit dans son effort à transcrire "le flot du monde dans un centimètre carré de matière[60]. Instruit de toutes choses, méprisant de ce qu'il appelait l'"'Ecole des Bozards", il étudia le cours de l'humanité depuis les bisons et daims gravés sur les murs des grottes aux gares remplies de la fumée des trains. "Nous voyons dans la peinture", disait-il, "tout ce que l'homme a vu, tout ce qu'il a voulu voir. Nous sommes le même homme". Et il confiait: "J'ajouterai un maillon à cette chaîne de couleurs[61]".

"Il avait le dos un peu courbé un teint basané, tâché de tons rouges, le front haut, de longues mèches folles de cheveux blancs, de petits yeux perçants comme ceux d'un furet, un nez Bourbon plutôt rouge, une petite moustache tombante et une barbiche militaire", c'est ainsi que nous le décrit Edmond Ja-

66. Paul Cézanne. *La maison du Dr Gachet à Auvers.*
Vers 1873. Toile, 46 × 38 cm.
Musée d'Orsay, Paris

67. Paul Cézanne. *Autoportrait au béret.* Lithographie

68. Armand Guillaumin. *Autoportrait.*
Vers 1873. Toile, 73 × 60 cm.
Musée d'Orsay, Paris

loux. "J'entends sa lourde voix nasale, lente et méti-culeuse avec quelque chose d'attentif et de cares-sant[62]".

Ce grand génie, dont la vie alterna entre l'enthou-siasme et la dépression, finit ses jours à Aix dans une sorte de dégoût de lui-même et de son travail. "Ses toiles les plus belles", dit Gasquet, "gisaient de-ci, de-là sur le sol, et il marchait dessus. Il les laissait dehors dans les champs, ou les laissait pourrir dans l'atelier." Cézanne prédit alors la venue d'artistes futurs qui traiteraient la nature en "cylindre, sphère et cône[63]."

Bien qu'il suivît un traitement pour son diabète, il exigeait sa bouteille de vin quotidienne. Mes ses jam-bes enflaient. Ses yeux larmoyaient et il s'assoupissait fréquemment. "La messe et une douche", disait-il, "sont tout ce qui me garde sur mes pieds[64]".

Maurice Merleau Ponty, en professeur, nous dit voir la peur de la vie et la peur de la mort dans la pra-tique religieuse de Cézanne. "Il se croyait impuissant parce qu'il n'était pas tout puissant, parce qu'il n'était pas Dieu[65]". C'est mal juger celui dont le sentiment d'exil le poussa à s'enquérir des sources de la vie. Le désespoir n'est-il pas un sentiment passager chez tous les créateurs, chez tous les croyants et non-croyants tout aussi bien, chez ceux qui ne sont pas la proie d'un fol orgueil et savent reconnaître leurs propres li-mites?

69. Armand Guillaumin.
Quai de Seine. 1874.
Toile, 38 × 45 cm.
Collection
Comte Arnauld Doria,
Paris

70. Armand Guillaumin. *Taverne à Bercy-sur-Seine*. 1873. Toile, 54 × 65,5 cm. Collection Comte Arnauld Doria, Paris

ARMAND GUILLAUMIN

Armand Guillaumin fut pendant de nombreuses an-nées un peintre du dimanche. Au début simple ven-deur, il travailla ensuite pour la compagnie de che-mins de fer à Orléans, puis pour la municipalité de Paris dans un bureau des Ponts-et-Chaussées. Tout son temps libre, il le consacrait à la peinture. Mais cette double existence[66] l'empêchait de rejoindre ses compagnons au rendez-vous de l'époque: le Café de la Nouvelle Athènes, Place Pigalle.

De tempérament peu sociable, irascible, les traits anguleux, Guillaumin avait un visage blême, encadré par d'épais cheveux foncés et une barbe. Quand il fit son autoportrait (1873) maintenant au Louvre, il se réclamait des Impressionnistes et plus particulière-ment de Claude Monet, qui ne prêtait pas grande at-tention à ce peintre de la nature, plein de Baudelaire et alors soutenu par Fénéon.

A la fin de 1891, Guillaumin eut la chance (ou la malchance) de gagner 100.000 francs à une loterie du Crédit Foncier, et cela lui permit d'abandonner son gagne-pain pour s'adonner uniquement à la peintu-re. A l'âge de cinquante ans, il retourne sur les lieux de ses rêves – les rochers rouges d'Aguay, la campa-gne autour de Crozant.

Puis Guillaumin, qui, dans ses années difficiles, après avoir peint les maisons et les quais de Paris (usant pour certains de la technique divisionniste) avait utilisé librement la palette impressionniste, se mit à peindre de sombres séries de paysages de la Creuse. Coupé de ses amis d'autrefois, avec qui il continua cependant à exposer, il perdit sa voie. Sa technique s'embourbe dans la "violettomanie".

SEURAT

Aux environs de 1883, le groupe impressionniste commença à se disperser[67]. Presque tous vivaient loin de Paris: Cézanne à Aix, Sisley à Moret, Monet à Giverny, Pissarro à Eragny, Renoir à Cagnes.

A cette époque apparurent sur la scène, des peintres que l'on a appelés tour à tour Pointillistes, Cloisonnistes, Divisionnistes, Néo-Impressionnistes et que Georges Seurat, initiateur de la nouvelle technique appelait Chromo-luminanistes. Ces artistes, moins spontanés que leurs prédécesseurs, ne choisissaient plus les couleurs de leurs toiles selon leurs impulsions. Rentrant, du moins en partie, à l'atelier, ils

furent beaucoup plus méthodiques et même scientifiques dans leur recherche.

S'absorbant dans l'étude des couleurs du spectre et des théories de Helmholtz et de Chevreul, Seurat commença de juxtaposer des couleurs pures directement sur la toile, sans les mélanger auparavant sur sa palette, si bien que le spectateur avait l'illusion de les voir se mêler automatiquement dans l'œil. Seurat se préoccupait aussi de la signification de la ligne selon sa position et sa direction dans l'ensemble de la composition.

Degas l'appelait de "notaire" à cause de la façon bourgeoise qu'il avait de s'habiller; Pissarro lui reprochait d'avoir été élève de l'Ecole des Beaux-

71. Georges Seurat. *La chenal de Gravelines*. 1890. Toile, 65 × 82 cm.
Collection Mr et Mme William A.M. Burden, New York

72. Georges Seurat. *Cheval blanc et cheval noir dans l'eau.* Etude pour *Une baignade.* 1883–1884. Panneau, 15 × 25 cm.
Collection Christabel Lady Aberconway, Londres

Arts[68], et l'accusait d'être un officiel déguisé. Le reproche est injuste. La révolution accomplie par Seurat – même si, au début, elle doit quelque chose à la
tradition – est d'une très grande audace. Avec Seurat,
qui fût en outre l'un des plus doués dessinateurs de
son temps, la décomposition de la lumière ne sert
plus le même but (mais d'une façon très différente de
la méthode de Cézanne) c'est un retour à la forme.

Cette exigence théorique ne dépare cependant pas
la qualité de lumière vibrante des trois grandes toiles
qui constituent l'œuvre majeure de Seurat: *Une Baignade, Un Dimanche après-midi à l'île de la Grande Jatte*
et *Les Poseuses.* On possède un très grand nombre
d'études préparatoires pour ces trois grandes compositions. Elles font toutes partie de cet éternel été dont
est si riche l'œuvre de Seurat.

Les paysages qu'il peignit à Honfleur, à Port-en-
Bessin et aux Gravelines scintillent eux aussi de lumié-
re (Seurat allait y passer l'été pour se nettoyer les
yeux de la poussière de Paris). On y sent le soleil et
le sable des plages – un "terrain blanc comme un os
de seiche[69]". Ce n'est que vers la fin de sa vie que la
palette audacieuse de Seurat se refroidit comme le
montre l'éclat dur, acétylène de ses nuits de cirque.

Dans son ensemble, l'œuvre de ce "grand garçon,
modeste, borné, qui cachait la gentillesse d'une fille
sous une barbe d'apôtre" (il n'avait pas trente-deux
ans quand il mourut) se distingue par sa façon de trai-

73. Georges Seurat. *L'artiste peignant dans son atelier.*
Vers 1884. Crayon conté noir, 32 × 23 cm.
Museum of Art, Philadelphie. Collection A.E. Gallatin

74. Charles Angrand. *Homme et femme dans la rue*. 1887. Toile, 38 × 33 cm. Musée National d'Art Moderne, Paris

ter l'espace en un fourmillement de points, denses, reliés entre eux, et comme entourés d'un halo. La verticale y est si souvent répétée que les personnages de Seurat rappellent les enfants à qui l'on ne cesse de dire: "Tiens-toi droit!"

S'il semble à première vue que cette peinture ait une sorte de simplicité affectée, ce n'est qu'une première impression; elle s'anime bientôt, et révèle la solidité, la complexité de sa composition, des tonalités contrastées, qui font de leur auteur un précurseur des Cubistes et des Constructivistes, et lui assure une place unique et irremplaçable.

75. Paul Signac. *Bateaux au coucher de soleil*. 1891. Toile, 62 × 78 cm. Collection Mr et Mme John Hay Whitney, New York

SIGNAC, LUCE, DUBOIS-PILLET, CROSS, HAYET, ANGRAND

Seurat, chef du groupe néo-impressionniste fut suivi par plusieurs autres Pointillistes, dont Paul Signac aux toiles semblables à des mosaïques de points disparates. Selon Arsène Alexandre, il apporta au jeune mouvement "la puissance d'une intelligence précise et d'une volonté sans faille". "Justice sociale, justesse artistique – c'est la même chose", aimait à dire ce révolutionnaire. Jeune homme, il avait été l'ami de Vallès, Van Gogh et Verhaeren, et fervent admirateur de Zola. Il écrivait pour *Le Cri du Peuple* et voulait "en peinture rendre sublime les villes tentaculaires, les banlieues et les réservoirs à gaz[70]".

Si les Impressionnistes du début, exception faite pour Degas et Renoir, partageaient des idées quelque peu socialistes, ceux que l'on appelait familièrement les "Néos" étaient anarchistes. Signac était opposé à tout socialisme absolutiste à la Proudhon, et pensait que l'artiste devait rester libre de choisir ses thèmes[71]. En outre, le travail des ouvriers ne tentait guère son pinceau.

C'est à Maximilien Luce, artiste prolétarien, au vieux chapeau cabossé, que revient l'introduction de ce thème. "Porter des bleus et se laver le visage avec les mains et une cruche rouge[72]", ce fils de cheminot communard était un militant[73]. Il lisait *La Révolte,* collaborait au père Peinard, et faisait des lithographies pour l'album de Jules Vallès sur les anarchistes qui furent emprisonnés avec Fénéon à la prison de Mazas[74].

Arborant monocle et lavallière, Dubois-Pillet essayait de faire oublier à ses amis qu'il portait l'uniforme républicain. Dans son atelier I, Quai Saint-Michel (la maison de Vanier, éditeur des poètes décadents) il introduisit en peinture un divisionnisme encore plus complexe que celui de Seurat. Cross (il

76. Maximilien Luce. *Vallée industrielle dans la Sambre.*
Vers 1898–1899. Toile sur carton, 32 × 42 cm.
Collection Comte Arnauld Doria, Paris

77. Albert Dubois-Pillet. *Saint-Michel-d'Aiquilhe sous la neige.*
1890. Toile, 65 × 36,5 cm. Musée Crozatier, Le Puy

78. Henri-Edmond Cross. *La cueillette du raisin.* Vers 1892. Toile, 95 × 140 cm. Collection Mr et Mme John Hay Whitney, New York

79. Albert Dubois-Pillet. *Berge de rivière en hiver*. 1889. Toile, 38 × 50 cm. Collection Mr et Mme Arthur G. Altschul, New York

80. Maximilien Luce. *Vue de la Seine prise du Pont-Neuf*. 1900. Panneau, 13 × 20,5 cm. Collection Comte Arnauld Doria, Paris

81. Henri-Edmond Cross. *Rue de Village*.
Vers 1892. Toile, 46,5 × 42 cm.
The Ritter Foundation, New York

ci-dessous:
82. Louis Hayet. *Marché aux légumes*.
1889. Encaustique sur papier collé
sur toile, 19 × 26,5 cm.
Collection Mr et Mme
Arthur G. Altschul, New York

avait choisi ce nom par modestie, anglicisant son vrai nom qui était Delacroix) était fasciné par la "pullulation de la lumière[75]" du Lavandou sur la côte méditerranéenne. Il y eut aussi Hayet, un grand homme barbu, l'air flegmatique, amateur de la musique de Fauré.

Parmi ce groupe, Charles Angrand, aujourd'hui oublié, est peut-être le plus intéressant. C'était un ami intime de Seurat qu'il accompagnait peindre sur l'île de la Grande Jatte. "Plus un penseur qu'un créateur", dit de lui Signac. Il adopta la technique pointilliste après avoir peint nombre de délicieuses scènes champêtres. Retiré en Normandie, il y peignit la lumineuse clarté des jours de brouillard dans laquelle les objets prennent une qualité évanescente et brillante, couvrant ainsi nombre de feuilles de papier de petites vagues grises, à peine perceptibles.

LES NÉO-IMPRESSIONNISTES ET LA SOCIÉTÉ DES ARTISTES INDÉPENDANTS

Les Néo-Impressionnistes, à l'encontre de leurs prédécesseurs immédiats, n'organisèrent pas d'expositions limitées à leurs seules toiles, mais ils contribuèrent à la fondation d'un Salon qui était plus ou moins le leur: La Société des Artistes Indépendants. La première de ces expositions qui ne comportait ni jury, ni récompenses eut lieu en décembre 1884, après une première manifestation publique qui se fit le 15 mai dans un baraquement situé aux Tuileries[76]

Si la qualité de bon nombre des toiles exposées était discutable, une des salles réunissait des peintures de Seurat, Signac, Dubois-Pillet, Angrand, Cross, aussi bien que de Guillaumin et d'Odilon Redon. Le groupe tint ensuite une exposition annuelle de ces artistes qui ne devaient connaître leur heure de gloire que bien des années après. Ce fût le cas, entre autres, du seul véritable sculpteur impressionniste, l'Italien Medardo Rosso, "peintre sans pinceau, peintre au ciseau", dont la main sensible sut tirer de l'argile ou de la cire des formes d'un lisse presque nébuleux.

Presque tous les Impressionnistes se ressemblaient, ils portaient tous les cheveux courts, un bouc, et un haut-de-forme en soie. Ils étaient frères des poètes symbolistes et décadents[77] auxquels ils se mêlaient à la Brasserie Gambrinus en plein Luxembourg, où ils avaient fondé la Vogue et la Revue Indépendante; ensemble ils étaient objets de dérision ou victimes de l'indifférence. Ils avaient demandé à l'Etat de ne pas se soucier d'eux, à l'Institut de leur fermer ses portes[78], aux pompiers et aux faiseurs de garder leurs médailles et leurs décorations.

83. Georges Seurat. *Portrait de Signac*. 1889–1890. Crayon conté, 34 × 28 cm. Collection Mme Ginette Signac, Paris

84. Medardo Rosso. *L'âge d'or*. 1886. Cire sur plâtre, hauteur 43 cm. Hirschhorn Museum and Sculpture Garden, Smithsonian Institution, Washington

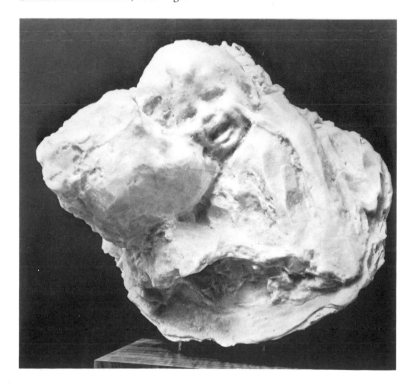

85. Pierre-Auguste Renoir. *Paul Durand-Ruel.*
1910. Toile, 65 × 54,5 cm. Collection Durand-Ruel, Paris

Ils voulaient tous découvrir les aspects méconnus de la nature. L'ami de Seurat, Gustave Kahn, rédacteur en chef de La Vogue et partisan du vers libre parle d'un dîner organisé dans le but de rassembler tout le groupe des Néo-Impressionnistes au restaurant Saint-Fargeau à Belleville, près d'un lac artificiel crée par les réservoirs Dhuis, où se tenaient des banquets. Parmi d'autres, il y avait Seurat, Signac, Pissarro, Guillaumin et Gauguin. Les convives mangèrent dehors sous des lanternes chinoises. "Des couples frôlaient les tables", écrit Kahn, "des jeunes filles en robes de coton empesé, roses ou blanches. Cela ressemblait à une promenade du dimanche. Nous cotôyaient les modèles de Degas, de Renoir[79]".

En 1897, Paul Durand-Ruel eut l'idée d'exposer les deux manières impressionnistes, la "vieille" et la "nouvelle" ensemble dans sa galerie. A cette occasion, Signac nota dans son journal: "Quand on passe de nos salles à celles où Manet et les Impressionnistes sont accrochés, l'on est frappé par l'air "musée" de ces toiles, qui auparavant produisirent le même effet comparées à celles de leurs prédécesseurs[80]". Mais bientôt il en sera de même pour le Pointillisme qui, comme Seurat le remarquait, perdrait l'attrait de la nouveauté quand tout le monde l'imiterait.

PAUL GAUGUIN

Nous en venons maintenant à ceux qui traversèrent l'Impressionnisme, ou qui, par leur maîtrise, en devinrent la consécration.

Au début, Gauguin sublit l'influence de Camille Pissarro si bien qu'il fit des toiles en forme d'éventails. "Hommage à Pissarro" tel fut le commentaire de Huysmans à propos des premiers paysages du peintre qui essayait sur la surface ce que Cézanne réussit avec la profondeur. "Dites à Gauguin", écrit Pissarro à Murer le 8 août 1884 alors que le futur peintre du *Christ Jaune* vient de quitter son emploi à la banque, "que, après trente ans de peinture, je suis complètement fauché. Ces jeunes gens doivent s'en souvenir".

Gauguin, cependant, persévera. Bientôt, au cours de séjours en Bretagne, qui furent interrompus par un séjour à la Martinique, sa manière impressionniste s'estompera. "Je suis un Impressionniste", disait-il néammoins à Taboureaux dans une conversation, "mais je vois très rarement mes collègues, hommes ou femmes. La petite chapelle est devenue une école

86. Paul Gauguin. *Autoportrait.*
Vers 1890–1891. Toile, 40,5 × 32,5 cm.
Collection Mr et Mme Paul Mellon, Upperville, Virginie

87. Paul Gauguin. *La vision après le sermon (Lutte de Jacob avec l'Ange)*.
1888. Toile, 73 × 92 cm. National Gallery of Scotland, Edimbourg

quelconque qui ouvre ses portes au premier barbouilleur venu''.

Après la manière surprenante et violente avec
laquelle il emploie la couleur dans *Jacob luttant avec
l'Ange* qui annonce les Fauves – il y aura, accompagnant la quête du paradis perdu et d'une magie ésotérique, ce style ornemental à la façon des symbolistes
et de l'idéalisme de Swedenborg que l'artiste appelait
"Saintaize[81]''. C'est à Gauguin, qu'Helleu non sans
une pointe de jalousie appelait "mage'', et qui semblait s'être échappé des pages des Grands Initiés de
Schuré, que l'on doit d'avoir rétabli la forme pleine
après la dispersion des effets des Impressionnistes qui,
selon lui, cherchaient trop "autour de l'œil''.

Gauguin repartit pour Tahiti, pour ne jamais revenir, "on ne le verra plus à Montparnasse avec sa redingote bleue aux boutons de nacre, sa veste bretonne, ses pantalons beiges, ses sabots, et la canne à pommeau de nacre qu'il avait lui-même sculptée[82]''.

VINCENT VAN GOGH

Van Gogh se situe à l'autre extrémité du mouvement
Fauve, celle qui amena la technique exacerbée d'un
Soutine. Il avait – et on l'oublie trop souvent – une
tournure d'esprit profondément religieuse. "Je veux
peindre des hommes et des femmes qui ont quelque
chose de cet éternel que l'aura symbolisait et que
maintenant nous cherchons à rendre par l'irradiation
et la vibration dans l'emploi de la couleur[83]''. Sa
stricte obédience au protestantisme et au socialisme
s'effondra lorsqu'il sombra dans la maladie qu'il appela lui-même la "maladie du soleil''. Mais jusqu'à la
fin, Van Gogh sut garder intact ce pressentiment du
sacré qui fut essentiel à sa vie.

"Cet artiste véritable et robuste, à la sensibilité
hautement raffinée, aux mains de géant, aux nerfs de
femme hystérique, à l'âme de mystique[84]'' eut peu de
contact avec les Impressionnistes; il voulait débarras

ser ses toiles de leurs sensations éphémères. Pendant son séjour à Paris, à l'âge de trente-trois ans, il ne rencontra que deux ou trois d'entre eux. "Ce qui le dérangeait", dit Emile Bernard, "c'était de voir Pissarro, Guillaumin et Gauguin empêtrés dans des difficultés matérielles qui compromettaient leur travail et rendaient leurs projets inapplicables[85]". A Montmartre, où il s'essayait au pointillisme dans certaines de ses toiles, Van Gogh est déja la proie d'une nervosité qui inquiète ses camarades.

Van Gogh adopta la technique de Monet plus que Gauguin n'adopta celle de Pissarro, et l'approfondit jusqu'à user de la touche épaisse que l'on trouve dans *Le Champ de blé aux corneilles,* qu'il peignit à Auvers avant de se tuer.

88. Vincent van Gogh.
Intérieur de restaurant.
1887. Toile, 45 × 54 cm.
Musée Kröller-Müller,
Otterlo, Pays-Bas

ci-dessous:
89. Vincent van Gogh.
La plaine d'Auvers.
1890. Toile, 50 × 100 cm.
Kunsthistorisches Museum,
Vienne

90. Pierre Bonnard. *Torse de femme dans un miroir*. 1916. Toile, 80 × 110 cm. Collection Bernheim-Jeune, Paris

PIERRE BONNARD

Peintre des femmes, des fleurs, et de l'intimité, Pierre Bonnard semble reprendre à son compte quelque chose de la qualité d'émerveillement que l'on trouve chez Turner. Sous sa touche enchanteresse, les nus féminins se dressent, invitants, dans le cadre des portes. Il fait aussi le portrait de Marthe, le modèle qu'il devait épouser un peu plus tard, dans l'intimité de pièces sombres, au tomber du jour: "Le foyer, la lueur étroite de la lampe/La rêverie avec le doigt contre la tempe".

Dans les toiles de Bonnard, sous les plantes vertes, la blancheur nacrée de la nappe d'un goûter d'enfants luit. Ailleurs, dans un tub bleu, le quotidien s'illumine de l'indolence d'un corps de femme.

Par un style à la fois intellectuel et naïf, Bonnard a une facture des plus raffinées. Ses œuvres majeures, empreintes d'une irrésistible sensibilité, sont celles d'un poète de la vue. Contrairement à ce que l'on peut voir chez Degas, le motif le plus banal se pare chez lui des facettes changeantes, éclatantes du merveilleux.

91. Pierre Bonnard. *Autoportrait*. Sans date.
Encre de Chine, 15 × 15,5 cm. Musée des Beaux-Arts, Budapest

RÉSUMÉ

Après avoir étudié comment se transforma l'Impressionnisme chez ses derniers partisans – Rafaëlli, Lebourg, Régurier, Maufra, Loiseau tout d'abord, puis Petitjean, Van Rysselberghe, Georges Lemmen ensuite – essayons de dresser un tableau des événements qui ont accompagné les stages de son évolution. Mais auparavant nous voulons dire un mot du peintre américain Maurice Prendergast, dont la vivacité de la forme et du style, l'éclat de la couleur sont si remarquables.

Que se passe-t-il pendant cette longue période qui va de la première représentation parisienne de Tannhäuser à la traversée de l'Atlantique de Lindbergh? La fin du Second Empire, la Commune de Paris, le mouvement anarchiste, l'affaire Dreyfus, le triomphe de Sarah Bernhardt, les gants noirs d'Yvette Guilbert, les bouffonneries de la Goulue, les scandales des aventurières. C'était aussi le temps de Mcliès et les débuts du cinéma, de Clemenceau, protecteur de Manet. Et puis, il y eut la première guerre mondiale.

Dans le domaine de la musique, après Chabrier – qui tint Manet mourant dans ses bras – Debussy compose les accords dissonants de ses *Jardins sous la Pluie,* Fauré écrit ses œuvres lumineuses; la suite de *Ma Mère l'Oye* de Ravel semble un commentaire musical des nymphéas de Monet.

Après la poésie de Verlaine, Laforgue, Mallarmé, après les raffinements philosophiques de Bergson apparaissent les inimitables évocations du passé de Marcel Proust, la mémoire involontaire.

N'est-ce pas l'Impressionnisme qui donna naissance à Gallé, aux affiches de Chéret et à la danse sinueuse d'une Loïe Fuller?

On peut poser une dernière question. Y avait-il un comportement impressionniste, ou une morale, une

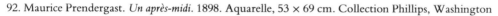

92. Maurice Prendergast. *Un après-midi.* 1898. Aquarelle, 53 × 69 cm. Collection Phillips, Washington

93. Paul Cézanne. *Baigneuses*. Vers 1895–1900. Toile, 73 × 92 cm. Ny Carlsberg Glyptothek, Copenhague

éthique propre à l'artiste impressionniste? Certains ont dit voir une sorte de dépersonnalisation de l'artiste, qui ne deviendrait ainsi rien d'autre qu'un réceptacle de sensations qu'il ne chercherait pas à contrôler.

Mais rien ne prouve que celui qui reçoit la sensation se laissant au début envahir par elle ne peut avoir de réaction spontanée pour ne pas dire inconsciente qui guide sa main, signant ainsi son œuvre. Si l'on devait accepter l'affirmation de Herman Bahr selon laquelle l'œil de l'Impressionniste se perd dans une sorte de "fascination vague" devenant "passif tel un écho de la nature[86]" ne serait-ce pas là une condamnation de l'état poétique de réceptivité, une négation de l'intuition créatrice chez l'artiste?

Loin d'être passifs, les Impressionnistes ont eu cha-

cun une façon toute personnelle indéniable d'insuffler à la matière l'esprit ou, tout du moins, d'y imprimer leur marque. Contrairement à leurs prédécesseurs de Barbizon, ils ne se laissèrent jamais dépassés et emportés par la nature. Ils ont toujours rejeté l'imitation et la répétition. Comme ils sont différents! et comme ils surent accomplir, une fois pour toutes, ce qui se devait faire, tout imprégnés des sentiments et des idées de leur époque.

L'histoire de l'art a construit au fil du temps une série de pyramides, dont chacune a son expression propre, son style, son originalité, dont chacune a connu ses heures de gloire et d'oubli. La pyramide élevée par l'Impressionnisme n'est pas un monument de dur granit mais un atelier de cristal transparent.

ŒUVRES GRAPHIQUES

94. Paul Cézanne. *Tête de jeune fille*. 1873. Gravure

95. Edgar Degas. *Nu à la porte de la chambre*.
Lithographie, 14 × 12 cm

96. Edouard Manet.
*Courses à
Longchamp*. 1864.
Lithographie,
37 × 51,5 cm

97. Alfred Sisley. *Bord du Loing*. 1890. Gravure, 14 × 22 cm

98. Eugène Boudin. *Marine*. 1899. Gravure

99. Pierre Bonnard. *Le bain*. 1925. Lithographie, 33 × 22 cm

100. Paul Gauguin. *Eve*. Vers 1895–1903. Gravure sur bois

101. Mary Cassatt. *Dans l'omnibus*.
1891. Gravure en couleurs, 36 × 27 cm

102. Pierre-Auguste Renoir. *La danse à Bougival*.
Vers 1890. Gravure, 22 × 13,5 cm

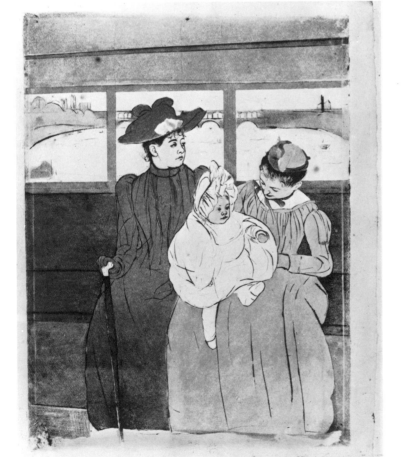

103. Berthe Morisot.
Jeune femme accoudée.
Vers 1887. Pointe-sèche

104. Camille Pissarro. *Le port de Rouen*. 1885. Gravure, 15 × 19 cm

105. Paul Cézanne. *Barques sur la Seine à Bercy*. 1873. Gravure

106. Louis Hayet. *Portrait de Verlaine*.
1892. Frontispice pour *Liturgies intimes*

107. Maximilien Luce. *Femme arrangeant ses cheveux*.
1894. Lithographie

NOTES

1 A. Dubuisson, *Les Echos du bois sacré (Souvenirs d'un peintre)*, Paris, 1924.

2 *Nos Morts contemporains*, par Emile Montégut, deuxième série, Paris, 1884.

3 Charles Clément, *Artistes anciens et modernes*, Paris, 1876.

4 Pourtant Gleyre n'a pas voulu être le chef de l'école des néo-grecs, ridiculisée par Gérôme.

5 Gustave Geffroy, *La Vie artistique, 2ème série, Histoire de l'Impressionnisme*, Paris, 1894, p.8.

6 André Pératé, "Un siècle d'art", *La Quinzaine*, 16 décembre 1899, p. 24.

7 Voir Erich Koehler, *Edmond Jules de Goncourt, die Begründer des Impressionismus*, Leipzig, 1912.

8 Nadar, pour déménager, venait de vider les lieux.

9 Le siège de la Société était; 9, rue Vincent-Compoint, dans le quartier de Clignancourt, ainsi que l'indique une lettre à en-tête de Degas à Bracquemont, datée de 1874 (Bibliothèque Nationale, n.a.f. 24830).

10 Sur les réactions de la presse à propos de cette exposition, voir: Jacques Lethève, *Impressionnistes et Symbolistes devant la presse*, Paris, 1959.

11 Le mot est de Marc de Montifaud, proposé dans *L'Artiste* pour qualifier la nouvelle corporation.

12 Courbet, condamné à payer les frais de remise en place de la colonne Vendôme abattue par la Commune, s'était alors réfugié en Suisse.

13 Albert Aurier, *Œuvres posthumes*, Paris, 1893.

14 Arsène Alexandre, *La Collection Canonne (une histoire en action de l'impressionnisme)*, Paris, 1930.

15 Devant les deux marines exposées par son presqu'homonyme au Salon de 1865, Manet disait: "Bah! on les regarde parce qu'on croit qu'elles sont de moi".

16 Théodore Duret, *Critique d'avant-garde: les Impressionnistes*, Paris, 1885.

17 Il n'y a pas d'impressionnistes italiens, si ce n'est de Nittis, et encore! En Allemagne, on ne trouve guère que Max Liebermann qui, après quelques toiles exceptionnelles de Corinth et de Slevogt, soit allé dans ce sens assez tardivement.

18 Richard Hamann et Jost Hermand, *Impressionismus*, Berlin, 1960.

19 Voir Pierre Courthion, *Raoul Dufy*, Ed. Cercle d'Art, 1985.

20 Michel Belloncle, "Les Peintres d'Etretat", *Jardin des Arts*, mai, 1967.

21 Guy de Maupassant, "La Vie d'un paysagiste", *Gil Blas*, 28 septembre 1886 (sous forme de lettre, datée d'Etretat, septembre). Maupassant dit avoir vu Monet peindre ainsi l'année précédente, donc en 1885.

22 Albert Aurier, *Œuvres posthumes*, Paris, 1893.

23 Gustave Geffroy, op. cit.

24 Meyer Schapiro, *Vincent Van Gogh*, New York, 1950.

25 Celles, entre autres, de Robert de la Sizeranne et de Werner Weisbach.

26 Roger Marx, *Maîtres d'hier et d'aujourd'hui*, Paris, 1914.

27 Robert de la Sizeranne, *Les Questions esthétiques contemporaines*, Paris, 1904.

28 Oscar Reutersvärd, "The Violettomania of the Impressionists", *Journal of Aesthetics and Art criticism*, vol. IX, no. 2 decembre 1950, U.S.A.

29 Francis Jourdain, *L'impressionnisme, origines, conséquences*, Paris, s.d.

30 F.A. Bridgman, *L'Anarchie dans l'art*, Paris, s.d.

31 Robert de la Sizeranne, op cit.

32 Gustave Geffroy, op. cit. Peut-on voir une analogie entre les idées sociales avancées d'alors, après la Commune de Paris, et les recherches révolutionnaires des Impressionnistes? Je ne le pense pas. Si Camille Pissarro et Luce étaient des lecteurs de Kropotkine et admirateurs de Blanqui et de Fénéon, Renoir était un socialiste modéré, Degas un bourgeois distingué de la lignée de Manet, Berthe Morisot une fille de famille. Quant à Claude Monet, il s'orienta plutôt vers un radicalisme à la Clemenceau. C'est par leurs recherches que ces peintres se situaient en réaction contre le courant officiel: Monet par son étude du phénomène lumineux, Pissarro par son amour de la vie rurale, Sisley par sa sensibilité blessée, Degas par son tableau des mœurs et des distractions de son temps, Cézanne par son besoin de déformer le réel selon une conception transcendante.

33 La collection Caillebotte comprenait entre autres *Le Balcon* de Manet, *Le Bal au Moulin de la Galette* et *La Balançoire* de Renoir, une *Gare Saint-Lazare* de Monet, *La Danseuse sur la scène* de Degas, *Le Potager et arbres en fleurs, Printemps* de Pissarro, *Régates à Molesey* de Sisley, *Cour de ferme à Auvers* de Cézanne.

34 Théodore Duret, *Quelques lettres de Manet et de Sisley*, Recueil Duret. Paris, Bibliothèque d'art et d'archéologie.

35 Georges Clemenceau, "Révolution de cathédrales", *La Justice*, 20 mai 1895.

36 Rapporté par Wilhelm Uhde, *The Impressionists*, Vienne, New York, 1937.

37 Théodore Duret, *Le Peintre Claude Monet*, note sur son œuvre, suivie par le catalogue des tableaux exposés à la galerie du journal illustré *La Vie Moderne*, 7 Boulevard des Italiens, 7 juin 1880, avec un portrait peint par Edouard Manet, Paris, Charpentier.

38 André Fontainas, "Claude Monet", *Mercure de France*, juillet 1898.

39 Vers 1878–79, Sisley écrivit à Théodore Duret pour lui demander de lui trouver un acheteur qui accepterait de lui donner cinq cents francs par mois pendant six mois en échange de trente toiles, "ce qui fait cent francs le tableau" (Duret, *Quelques Lettres de Manet et de Sisley*, op. cit.).

40 Maurice Denis, *Du Symbolisme au Classicisme, théories*, Paris, 1949.

41 Charles Morice, "Pissarro", *Mercure de France*, avril 1904.

42 Armand Silvestre, préface à l'exposition *Recueil d'Estam-*

...pes, Galerie Durand-Ruel, Paris, 1873.

43 Armand Silvestre, *Au Pays du Souvenir*, Paris, 1892.

44 Ibid.

45 Alice Michel, "Degas et son modèle", *Mercure de France*, 16 février 1919.

46 J.-K. Huysmans, *Certains*, Paris, 1889.

47 Jeanne Fèvre, *Mon Oncle Degas*, Genève, 1949.

48 Robert de la Sizeranne, "Degas et l'Impressionnisme", *Revue des Deux Mondes*, 1 novembre 1917.

49 Stéphane Mallarmé, *Divagations*, Genève, 1943.

50 Joachim Gasquet, *Cézanne*, Paris, 1921.

51 Frenhofer est le nom du peintre que Balzac dans *Le Chef-d'œuvre inconnu* présente comme une sorte de pionnier de l'art non-figuratif.

52 Joachim Gasquet, op. cit.

53 Ibid.

54 Ibid.

55 Ibid.

56 Ibid.

57 Rogations: dans la liturgie catholique, processions du jour qui précède l'Ascension, prière pour obtenir la bénédiction de Dieu sur la moisson de l'année.

58 Joachim Gasquet, op. cit.

59 Maurice Denis, op. cit.

60 Joachim Gasquet, op. cit.

61 Ibid.

62 Edmond Jaloux, *Fumées dans la campagne*, Paris, 1918.

63 Lettre à Emile Bernard, 15 avril 1904.

64 Joachim Gasquet, op. cit.

65 Maurice Merleau-Ponty, "Le Doute de Cézanne", *Fontaine*, no. 47, décembre 1945.

66 Camille Pissarro reprochait à Guillaumin, qu'il avait rencontré à l'académie du père Suisse en 1868, de ne pas avoir le courage de se consacrer uniquement à la peinture.

67 Pour mieux comprendre les relations entre les Impressionnistes et leur marchand Paul Durand-Ruel, voir les deux volumes de Lionello Venturi, *Les Archives de l'Impressionnisme*, Paris, New York, 1939.

68 A l'école des Beaux-Arts, Georges Seurat fut élève de Lehmann, un peintre à qui nous devons des portraits de Liszt et quelques nus glacés.

69 Charles Angrand, lettre à Lucie Couturier, 4 juillet 1912, publiée dans *La Vie*, 1 octobre 1936.

70 Françoise Cachin, Introduction à Paul Signac, *D'Eugène Delacroix au Néo-Impressionnisme*, Paris, 1964.

71 "Le peintre anarchiste", écrivait-il, "n'est pas celui qui dépeint des scènes anarchistes, mais celui qui sans se soucier du gain, sans désir de rétribution se bat de toute sa personne et lutte contre les conventions bourgeoises et officielles pour faire entendre sa propre voix". (Voir Robert L. et Eugenia W. Herbert, "Artists and Anarchism: Unpublished Letters of Pissarro, Signac and others", *Burlington Magazine*, vol. CII, novembre et décembre 1960.)

72 Jules Christophe, "Luce", *Les Hommes d'aujourd'hui*, 1890.

73 Luce Peignit *La Mort de Varlin* et des épisodes de la commune de Paris.

74 Jules Vallès, *Mazas*, Paris, s.d, édition de 250 exemplaires avec dix lithographies par Maximilien Luce. Après l'arrestation de l'anarchiste Emile Henry, maître es science et étudiant à Polytechnique (1894), Fénéon et d'autres proches de l'anarchiste furent arrêtés, emprisonnés à Mazas, et jugés. Henry avait jeté une bombe le 12 février dans la foule, au Café Terminus. Pour Fénix Fénéon, arrêté le 26 avril, de tels attentats avaient plus contribué à propager les idées anarchistes que les livres de Reclus et de Kropotkine. Fénéon justifie ces attentats — par Gallo contre la Bourse, par Ravachol contre la justice et l'armée (la caserne de Lobeau), par Vaillant contre la Chambre des Députés, par Emile Henry contre les électeurs, par Caserio contre le Président de la République ("Extraits du journal inédit de Signac", II, 1897–98, introduction et notes de John Rewald, *Gazette des Beaux-Arts*, avril 1952).

75 Maurice Denis, Préface à la rétrospective de Cross à Bernheim-Jeune, avril 1937.

76 Dans cette exposition, Seurat exposa *Une Baignade* et Dubois-Pillet un *Enfant Mort* que Zola décrirait dans *L'Œuvre*.

77 Parmi ceux-ci il y avait des hommes très différents tels que Jean Moréas, Paul Adam, Mallarmé, Jules Laforgue, Verhaeren. Il y avait aussi Maurice Beaubourg, le romancier qu'admirait Seurat.

78 Voir Jules Laforgue, *Œuvres complètes, Mélanges posthumes*, Paris, 1903.

79 Gustave Kahn, "Au temps du Pointillisme", *Mercure de France*, avril 1924.

80 "Extraits du journal inédit de Paul Signac", III, 1898–99, introduction et notes de John Rewald, *Gazette des Beaux-Arts*, juillet-août 1953.

81 Jeu de mots sur "synthèse" et "sainteté".

82 Gustave Kahn, "Paul Gauguin", *L'Art et les Artistes*, novembre 1925.

83 Cité par Meyer Schapiro, op. cit.

84 Albert Aurier, op. cit.

85 Emile Bernard, "Vincent van Gogh", *Les Hommes d'aujourd'hui*, 1890.

86 Cité par Luise Thon, *Impressionismus als Kunst der Passivität*, Munich, 1927.

CHRONOLOGIE

LES IMPRESSIONNISTES

1857 Camille Pissarro fut le premier à travailler à l'Académie du père Suisse, quai des Orfèvres à Paris; il y sera rejoint par la suite par Claude Monet, Armand Guillaumin et Cézanne.

1858 Eugène Boudin rencontre au Havre un jeune peintre âgé de dix-huit ans, Claude Monet, et conseille au jeune homme "d'être extrêmement têtu" et "de s'en tenir à la première impression, car c'est la bonne". Les deux artistes travaillent ensemble en plein-air à Rouelles.

1861 Première représentation parisienne du *Tannhäuser* de Wagner, à une époque où la popularité de Offenbach est à son apogée.

1862 Monet, Renoir, Sisley et Bazille travaillent ensemble chez Gleyre.

1863 *Le Déjeuner sur l'Herbe* d'Edouard Manet fait scandale au Salon des Refusés. La jeune génération des peintres se groupe autour de Manet.

1864 Les Goncourt publient *Renée Mauperin*, inaugurant en littérature le style impressionniste – qui sera plus accusé dans *Manette Salomon* (1867).

1865 *L'Olympia* de Manet est accueillie par des rires et des railleries au Salon.

1868 Monet, à Chailly-en-Bière avec Bazille, peint un *Déjeuner sur l'Herbe* en plein-air. L'année suivante, ses *Femmes au Jardin* seront refusées par le Salon.

1869 Monet et Renoir peignent chacun une *Grenouillère*. La plupart des peintres du groupe impressionniste et des écrivains se retrouvent au café Guerbois, Avenue de Clichy.

1870 La République est proclamée le 4 septembre.

1871 Le 18 mars, le gouvernement de la Commune de Paris est renversé par l'armée du gouvernement Thiers.

1874 La première exposition de ces artistes que l'on connaîtra bientôt sous le nom d'Impressionnistes a lieu du 15 avril au 15 mai dans les ateliers du photographe Nadar (il vient de libérer les lieux), Boulevard des Capucines. Ils s'organisèrent en Société Anonyme Coopérative d'artistes peintres, sculpteurs, graveurs etc.... leurs quartiers généraux sont au 9 rue Vincent-Compoint dans le dix-huitième arrondissement.

1875 Vente de tableaux de Monet, Renoir, Sisley et Berthe Morisot à l'Hôtel Drouot le 24 mars. Préface au catalogue de Philippe Burty. Prix: Monet de 165 à 325 francs, Renoir de 100 à 300, Sisley de 50 à 300, Berthe Morisot de 80 à 480.

La première représentation du *Carmen* de Bizet à l'Opéra Comique.

1876 Deuxième exposition impressionniste en avril au 11 Rue Le Peletier. Les dix-huit participants comprennent Boudin, Cals, Monet, Berthe Morisot, Camille Pissarro, Renoir, Sisley et Degas.

Edmond Duranty publie *La Nouvelle Peinture*, dans lequel il se fait l'avocat de la nouvelle esthétique.

1877 Troisième exposition impressionniste en avril le 6 Rue Le Peletier. Dix-huit participants: Cals, Cézanne, Guillaumin, Monet, Berthe Morisot, Camille Pissarro, Sisley et Degas.

Le 28 mai, à l'Hôtel Drouot, vente de quarante-cinq tableaux de Pissarro, Renoir et Sisley. Les prix sont sensiblement les mêmes qu'auparavant.

Les Impressionnistes se rencontrent au Café de la Nouvelle Athènes, Place Pigalle.

1878 Théodore Duret publie *Les Peintres Impressionnistes*.

La demande pour leurs toiles est faible.

1879 Quatrième exposition impressionniste du 10 avril au 11 mai, 28 Avenue de l'Opéra. Parmi ceux qui exposent: Cals, Mary Cassatt, Degas, Lebourg, Monet et Pissarro. Chacun des quinze participants fait un profit net de 439 francs.

L'éditeur Gustave Charpentier lance *La Vie Moderne*, un hebdomadaire qui défend les nouvelles tendances picturales et littéraires.

1880 Cinquième exposition impressionniste du 1 au 30 avril, Rue des Pyramides. Dix-huit participants dont Mary Cassatt, Degas, Gauguin, Pissarro, Guillaumin, Lebourg, Berthe Morisot et Rafaelli.

En juin, Claude Monet expose seul Galerie de *La Vie Moderne*, 7 Boulevard des Italiens. Dix-huit entrées au catalogue, préface de Théodore Duret.

Entre autres *Hiver* (1879), *Rue Montorgueil* (1878).

1881 Sixième exposition impressionniste 2 avril–1 mai, 35 Boulevard des Capucines. Les participants moins nombreux que précédemment comprennent Mary Cassatt, Degas, Morisot, Pissarro, Renoir et Sisley. Monet est absent.

Gustave Geffroy prend la défense des Impressionnistes dans *La Justice*, le nouveau journal fondé par Clemenceau.

1882 Septième exposition impressionniste 1–31 mars, 251 Rue Saint-Honoré: Gauguin, Guillaumin, Monet, Berthe Morisot, Pissarro, Renoir et Sisley.

1883 Entre mars et juin, une série d'expositions individuelles dans un appartement du 9 Boulevard de la Madeleine, avec des œuvres de Boudin, Monet, Pissarro, Renoir et Sisley.

Durand-Ruel organise des expositions en Hollande, Angleterre, Allemagne et aux Etats-Unis. Huysmans publie *L'Art Moderne*.

Première représentation d'*España* de Chabrier donnée aux Concerts Lamoureux.

1884 La Société des Artistes Indépendants ouvre son premier salon, sans juré, sans prix. Les Indépendants seront pour les Néo-Impressionnistes une rampe de lancement importante.

1886 Huitième et dernière exposition impressionniste après quoi le groupe éclatera. 1 Rue Lafitte, du 15 mai au 15 juin. Degas, Berthe Morisot, Gauguin, Guillaumin, Mary Cassatt, Pissarro et Seurat.

Après des années difficiles, Durand-Ruel, le marchand qui avait soutenu le mouvement impressionniste, remporte un premier succès aux Etats-Unis. Avec le concours de l'American Art Association, il organise une exposition "Les Impressionnistes de Paris" qui a lieu à New York du 10 avril au 25 mai.

Zola publie *L'Œuvre*; il y présente d'abord les Impressionnistes sous un jour héroïque, puis dans une atmosphère désespérée. Fénéon publie *Les Impressionnistes* en 1886.

1887 Exposition internationale de peinture et sculpture Galerie Georges Petit, Rue de Sèze; entre autres exposants Monet, Pissarro, Sisley, Renoir et Berthe Morisot.

1889 Exposition de peintres impressionnistes, Galerie Durand-Ruel, Paris, 10–20 avril. Exposition Monet–Rodin, Galerie Georges Petit, Rue de Sèze. Presque toutes les facettes de l'art de Monet y sont représentées. Préface du catalogue par Octave Mirbeau.

"Vingt ans de lutte et de patience", dit Gustave Geffroy, qui situe le moment entre 1887 et 1889 quand le scandale causé par l'Impressionnisme se fut un peu calmé.

Dans ses *Nocturnes* (Nuages, Fêtes, Sirènes), Debussy crée l'impressionnisme musical. La même année, Henri Bergson publie son *Essai sur les données immédiates de la conscience*.

Mort de Chevreul.

1890 Pissarro expose chez Boussod et Valadon, Boulevard Montmartre.

1891 En mai, Claude Monet expose sa série de *Meules de foin* chez Durand-Ruel.

1892 Monet expose ses *Peupliers* dans la même galerie. Grande rétrospective des toiles de Pissarro; préface du catalogue par Georges Lecomte. En mai, exposition individuelle de Renoir dans la même galerie; 110 entrées au catalogue préfacé par Arsène Alexandre.

1893 Durand-Ruel expose une série de paysages de Degas; en novembre, exposition de Mary Cassatt.

1894 Exposition Armand Guillaumin chez Durand-Ruel.

1900 Le 14 avril, grâce aux efforts de Roger Marx, les Impressionnistes ont droit à une salle pour eux seuls à l'Exposition Universelle. On peut y voir quatorze toiles de Monet, sept de Degas, huit de Sisley, sept de Pissarro, quatre de Berthe Morisot, trois de Cézanne, aussi bien que des Gauguin, des Seurat etc. Gérôme furieux, essaie d'empêcher le Président de la République d'y entrer. C'est la consécration.

Notre siècle vit les expositions suivantes:

1904 Exposition de peinture impressionniste, février–mars. Libre esthétique, Bruxelles (195 entrées, préface du catalogue par Octave Mirbeau).

1905 Sélection de tableaux de Boudin, Cézanne, Degas, Ma-

net, Monet, Morisot, Pissarro, Renoir, Sisley, exposés par Messrs Durand-Ruel et fils, Paris à la Grafton Galleries, Londres.

1908 Impressionnistes Français, octobre–novembre, Kunsthaus, Zurich.

1921 Impressionnistes et Post-Impressionnistes, mai–septembre, Metropolitan Museum, New York.

1924 Impressionnistes Français, Galerie Flechtheim, Berlin.

1927 Impressionnistes Français, Galerie Goupil, Londres.

1934 Impressionnistes et Post-Impressionnistes Français, Museum of Art, Toledo, Etats-Unis.

1935 L'Impressionnisme, Palais des Beaux-Arts, Bruxelles.

1935–36 Les Maîtres Impressionnistes, novembre–juin, Museum of Art, Baltimore.

1936 Maîtres Impressionnistes Français, octobre, Institute of History and Art, Albanie.

Exposition des Maîtres Impressionnistes, novembre, Musée des Beaux-arts, Washington.

1937 Présentation des Impressionnistes (collection), Musée de l'Impressionnisme, Le Louvre, Paris.

1948 Les Impressionnistes, Biennale, Venise.

1949 Les Impressionnistes, Kunsthalle, Bâle.

1953 Les Impressionnistes, Vancouver.

1963 The French Impressionists and some of their Contemporaries, Londres.

1966 Impressionist Treasures from Private Collections, New York.

1970 Cent Ans d'Impressionnisme, Galerie Durand Pierrette Ruel.

1972 Les Impressionnistes et leurs Précurseurs, Galerie Smit, Paris.

1973 American Impressionist Painting, National Gallery, Washington.

1973 Impressionist and Post-Impressionist Paintings from the USA.

1985 L'Impressionnisme et le Paysage Français, Grand Palais, Paris.

LES NÉO-IMPRESSIONNISTES

1892–93 Exposition des peintres Néo-Impressionnistes, 2 décembre–8 janvier, Hôtel de Brébant, Paris.

1921 Impressionnistes et Post-Impressionnistes, mai–septembre, Metropolitan Museum, New York.

1932 Le Néo-Impressionnisme, Galerie Braun, Rue Louis-le-Grand, Paris.

1933–34 Seurat et ses amis, décembre–janvier, Galerie Beaux-Arts, 126 Rue du Faubourg Saint-Honoré, Paris.

1934 Impressionnistes et Post-Impressionnistes Français, Museum of Art, Toledo, Etats-Unis.

1936–37 Les Divisionnistes, décembre–janvier, Museum Boymans, Rotterdam.

1942–43 Le Néo-Impressionnisme, décembre–janvier, Galerie de France, Rue du Faubourg Saint-Honoré, Paris.

1952 Le Divisionnisme, Biennale de Venise (préface du catalogue par Raymond Cogniat).

PLANCHES EN COULEURS

JAMES ABBOTT McNEILL WHISTLER (1834–1903)

Peint vers 1870–75

Le Pont d'Old Battersea: Nocturne – bleu et or

Toile, 67 × 50 cm
Tate Gallery, Londres

Le Pont de Battersea fait partie de ces oeuvres que j'ai appelées "l'Impressionnisme de nuit". On y retrouve un peu du sens de l'émerveillement de Turner, soutenu par un sens du réel que Whistler avait appris avec Courbet lors de leur rencontre à Trouville en 1866. Avec l'exigence et la minutie qui étaient siennes, ce délicat coloriste sous-titra son tableau: *Nocturne-bleu et or*. C'est une toile mélancolique, mouvante, féérique, irréelle. L'imposante forme en T se dresse, tel un spectre contre le fond de ciel illuminé et les bateaux de la Tamise, alors que le brouillard jette sur la rivière un voile argenté.

Un homme étrange que ce Whistler. Gustave Geffroy le décrit comme "tout à fait semblable à l'un des personnages qu'il peignait, fait d'ombres, le visage et les mains faiblement éclairées. Petit, les cheveux noirs, une touffe blanche au centre qui lui descendait sur le front". Charles Morice nous raconte l'arrivée de cet excentrique toujours vêtu avec correction au col droit mais sans cravate dans un hôtel de luxe à l'heure du thé: "Tout le monde était à table, les hommes en habit de soirée, les femmes en décolletés, quand soudain on entendit le rugissement puissant d'un tigre. Toutes les têtes se tournèrent ensemble vers la porte; elles reprirent bientôt leur place nonchalamment sans frayeur ni moquerie. "Ce n'est que Whistler", dit quelqu'un simplement et la conversation reprit. C'était bien là Whistler, impassible, habillé de façon délicieusement extravagante, et escorté de tout un groupe" "Deux morts: Whistler et Pissarro", *Mercure de France*, avril 1904).

EDOUARD MANET (1832–1883)

Peint en 1862

Lola de Valence

Toile, 123 × 92 cm
Musée d'Orsay, Paris

De par son coloris, cette toile est unique dans l'œuvre de Manet. La danseuse de la troupe espagnole – qui se produisait au théâtre de l'Hippodrome de Paris – y est dépeinte avec une assurance, une sensualité, une suprême distinction où l'on trouve toute la palette de Manet: ses noirs claquants, ses divers blancs, ce mélange détonnant de couleurs, ses touches de bleu céruléen.

Ce tableau inspira à Charles Baudelaire le célèbre quatrain qui lui donna le sous-titre de son Inscription: "Entre tant de beautés que partout on peut voir Je comprends bien, amis, que le Désir balance Mais on voit scintiller en Lola de Valence Le charme inattendu d'un bijou rose et noir".

Comme l'auteur des *Fleurs du Mal* l'avait fait en poésie, Manet démontra en peinture une sensibilité "moderne", très nouvelle pour l'époque. "La même horreur de la mythologie et des vieilles légendes", dit Armand Silves-tre, "la même recherche de puissance même si c'est au détriment de la précision". C'est à Silvestre aussi que l'on doit ce portrait du peintre de Lola. "Ce révolutionnaire – le mot n'est pas trop fort – avait des manières de parfait gentleman. Avec ses pantalons criards, ses vestes courtes, son chapeau à bord plat juché à l'arrière de la tête, et toujours avec d'impeccables gants de daim, Manet n'avait en rien l'allure bohème. Il avait les façons d'un dandy blond, une légère barbe qui se terminait en une double pointe, il avait dans l'extraordinaire vivacité de ses yeux, de petits yeux gris pale, et très brillants, dans l'expression de sa bouche moqueuse – une bouche aux lèvres minces, aux dents irrégulières – une forte dose de titi parisien. Très généreux et de bon caractère, il était plein d'humour – un humour franc et souvent cruel. Il trouvait toujours les mots justes pour déchirer et détruire d'un seul coup" (*Au Pays du Souvenir*, Paris, 1882).

70

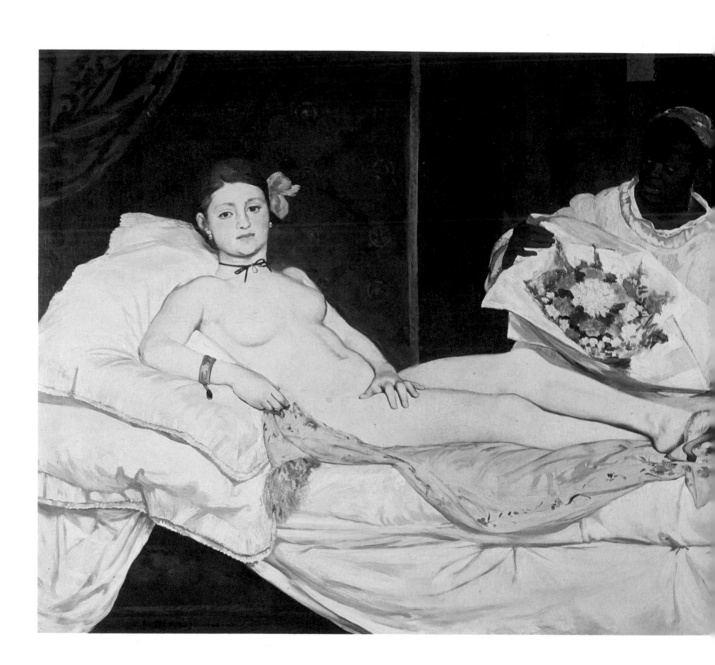

EDOUARD MANET (1832–1883)

Peint en 1863

Olympia

Toile, 130 × 190 cm
Musée d'Orsay, Paris

La voilà la célèbre *Olympia* qui causa tant de scandale au Salon de 1865 (pour la protéger des cannes et des parapluies, on dût l'accrocher très haut sur le mur, d'où elle défiait le public). Quelle audace de la part de Manet de présenter cette petite femme nue étendue sur un châle fleuri et les draps d'un lit hospitalier, ne portant pour tout ornement qu'une unique mule, un ruban de velours noir autour du cou, et une fleur en guise de noeud dans les cheveux. Une négresse lui présentait le bouquet d'un client.

Le critique Ernest Chesneau, avocat du Romantisme, écrivait: "Manet réussit à provoquer la risée et le scandale – c'est ce qui attire les visiteurs au Salon, cette grotesque créature (si je peux me permettre cette expression) qu'il appelle Olympia". Paul Mantz disait que le dessin du personnage semblait être dessiné avec de la suie. "Les insultes pleuvèrent comme pluie de grêle", écrit le peintre à Baudelaire, qui lui répondit de Bruxelles: "Croyez-vous que vous avez plus de génie que Chateaubriand et que Wagner? On s'est bien moqué d'eux cependant. Ils n'en sont pas morts".

Quant à Degas, il fit un jour, astucieusement, cette remarque à Manet quand l'affaire fut terminée: "Alors, maintenant, vous êtes aussi célèbre que Garibaldi".

Grâce aux courageuses démarches menées par Claude Monet, *Olympia* fut admise en 1890 au Musée du Luxembourg. En 1907, Clemenceau, alors Président du Conseil des Ministres, donna l'ordre qu'elle fut transférée au Louvre; elle y fut transportée par les gardiens en un simple équipage, puis exposée dans la Salle des Etats, face à *L'Odalisque* d'Ingres.

WINSLOW HOMER (1836–1910)

Peint en 1866

Jeu de croquet

Toile 40 × 66 cm
The Art Institute, Chicago

Winslow Homer, avec Thomas Eakins, est le peintre américain le plus important de la seconde moitié du dix-neuvième siècle. Certains de ses tableaux, tel le *Jeu de Croquet*, sont, comme ceux de Manet, de facture pré-Impressionniste. Le *Jeu de croquet* est un motif qu'Homer introduisit dans la peinture en 1865 et qui sera bientôt repris par Manet et les Impressionnistes. (Manet peignit sa *Partie de Croquet* en 1871 et une autre version en 1873, Berthe Morisot fit une étude, *Croquet à Mezy* en 1890).

Cet usage du plein-air, le style libre et surtout cette façon de traiter la lumière par des touches franches et nettes se révéla prophétique.

Il est dommage que l'œuvre de Winslow Homer soit si inégale et comme sans suite logique. Jeune homme, il fit montre de grandes qualités, mais son talent semble s'être tari, quand en digne représentant de la Nouvelle Angleterre, il devint membre de l'Académie Nationale de Dessin. Sa peinture s'alourdit alors d'une précision très méticuleuse et gratuite.

Homer commença sa carrière à Boston comme lithographe et illustrateur. Il s'installa à New York en 1862, où il travailla pour le *Harper's Weekly* et autres magazines. Il commença à peindre en 1862, et vécut à Paris de 1867 à 1868. En 1884 il s'installa dans le Maine et finit ses jours au Prout's Neck. Il peignit de grandes toiles représentant la côte et des scènes de pêche, visita la Floride, Cuba et Nassau.

EUGÈNE BOUDIN (1824–1898)

Peint vers 1872–78

Crépuscule sur le Bassin du Havre

Toile, 40 × 55 cm

Musée du Havre

Cette toile est très proche de la toile de Monet qui donna son nom à l'Impressionnisme. La technique en est semblable. On retrouve dans les deux tableaux la même utilisation du pinceau; seuls les accents sont différents; chez Boudin ils sont dispersés dans tout l'ensemble pour souligner les quais, les mâts, les cheminées des maisons, alors que chez Monet ils sont au centre, rassemblés sur le petit bateau. Autre différence: Monet usa de couleurs plus chaudes pour son lever de soleil.

Boudin et Monet choisirent pour motif le port du Havre où, nous le savons, les deux peintres travaillèrent ensemble. La toile de Monet porte le date de 1872, et celle de Boudin doit probablement dater des années 72–78, quand, en septembre, il écrivit à Ricada, un de ses admirateurs: "Nous allons au Havre avec M. Monet". Monet, lui, a toujours reconnu ce qu'il devait au vieil homme, de seize ans son ainé. "Ce fut Boudin", confia-t-il à Marc Elder, "qui m'a initié. Il m'a révélé à moi-même et m'a montré la bonne voie".

Pages suivantes

CLAUDE MONET (1840–1926)

Peint en 1872

Impression, soleil levant

Toile, 45 × 55 cm
Musée Marmottan, Paris

Cette toile fait penser à Turner avec ses bleus et l'orange du soleil. De par la juxtaposition des plans et des valeurs, on devine plus qu'on ne voit. Mais l'espace, l'air, l'atmosphère du port du Havre, le ciel rougi, l'eau, tout est là. Si on supprime l'accent foncé placé sur le bateau, tout s'effondre.

La toile fut exposée en 1874 dans l'une des petites salles des ateliers Nadar sur le boulevard des Capucines. C'est cette toile qui donna au mouvement Impressionniste son nom. Le vingt-cinq avril, Louis Leroy écrit avec moquerie dans le *Charivari*: "Impression, oui. Je pensais aussi, puisque j'étais impressionné, qu'il devait y avoir une impression là-dedans". Et il ajoutait: "Le papier peint, dans les premiers stages de sa fabrication, est plus fini que cette marine".

Monet ne se risquera plus, si ce n'est dans ses dernières toiles les *Nymphéas*, à de telles audaces. On lui reprochait de ne pas souligner les contours des formes qu'il peignait. Gustave Kahn, évoquant cela, note qu' "enfermer, c'est falsifier. Une couleur donne naissance à d'innombrables échos; les reflets se propagent en une succession de cercles ordonnés et harmonieux. Ce que Monet nous donne à voir où qu'il pose son chevalet, ce sont de véritables symphonies" (*Mercure de France*, 15 février 1924).

Monet, c'est l'Impressionnisme incarné. Il donna l'exemple aux autres "en se tenant ferme à ses principes", comme le fait remarquer Boudin. Renoir le dit aussi: "Sans lui, sans mon cher Monet qui nous donna à tous du courage, nous aurions abandonné".

CLAUDE MONET (1840–1926)

Peint en 1875

Le Bassin d'Argenteuil

Toile, 60 × 80 cm

Musée d'Orsay, Paris

Le plein air est pour le peintre plein de surprises. Son tabouret s'enfonce dans le sol et des petites branches tombent sur sa palette, le vent secoue sa toile quand il ne l'arrache pas tout à fait du chevalet.

Certaines figures se promènent, d'autres sont assises. Elles font toutes partie d'un même ensemble au même rang que les taches de couleur claire qui pommèlent le chemin. L'artiste ne leur donne plus l'importance que ces figures avaient autrefois, tels les pique-niqueurs de Chailly, ou sa femme Camille; elles n'ont plus droit à l'avant-plan. Gustave Kahn semble regretter leur disparition au fil de l'évolution du peintre. Mais ce qui intéresse Monet, c'est la lumière, la couleur, les variations atmosphériques de la nature car il se doit à son rang de "chef de cette école de lumière". Théodore Rousseau cherchait l'inspiration dehors puis s'en retournait travailler à l'atelier. Courbet dessinait dehors, mais finissait à l'intérieur. Manet peignait dehors mais seulement en de très rares occasions, à l'insistance de Monet, son compagnon d'Argenteuil.

"Dans deux jours, c'est-à-dire après-demain", écrit Monet à son mécène, le Dr de Bellio, un comte roumain, médecin homéopathe ami des Impressionnistes, "nous devons quitter Argenteuil. Pour pouvoir partir il nous faut payer nos dettes. J'ai eu de la chance puisque je vous demandai 1200 francs – j'ai besoin de 300 francs encore pour régler quelques notes et organiser notre départ. Pourriez-vous me faire une dernière faveur et m'avancer encore 200 francs que je n'arrive pas à trouver?" (documents du Musée Marmottan).

CLAUDE MONET (1840–1926)

Peint en 1904

L'Etang aux Nymphéas

Toile, 90 × 93 cm
Musée des Beaux-Arts, Caen

Le vingt-deux juin 1890, le peintre écrit à Gustave Geffroy: "J'ai repris encore des choses impossibles à faire – c'est de l'eau avec de l'herbe qui ondule sur le fond. C'est admirable à voir, mais c'est à rendre fou de vouloir faire ça.

Enfin je m'attaque toujours à ces choses-la". Monet avait acheté cette maison de Giverny en 1890. C'est dans le jardin de cette maison qu'il voit ces nénuphars qui, au milieu des taches de couleur et de la réflexion du ciel dans l'eau, l'inspirent; les formes, leur densité se dissolvent dans le jeu de la lumière. Il peindra un grand nombre de variations sur ce thème; jusqu'à sa mort, il peindra ces miroirs d'eau qui entourent les nénuphars dans des harmonies de vert et de rose en plein soleil, à la tombée du soir.

Le tableau reproduit ici est une sorte de synthèse des autres toiles. Le passage du temps, dans ce tableau où la ligne d'horizon coupe le ciel, y est transcrit à la fois par le mouvement des fleurs d'un côté de la toile à l'autre, et par le mouvement de notre regard de haut en bas. "Ici et là, sur la surface flottaient, rougissant comme des fraises, les cœurs écarlates des nénuphars pris dans leurs bracelets de pétales blancs. Un peu plus loin, d'autres fleurs, plus nombreuses mais plus pâles, moins brillantes, aux cœurs plus épais, aux pétales plus serrés, et disposés accidentellement en festons si gracieux que je m'imaginais voir flotter sur un courant des roses de mousse dans des guirlandes lâches" (Marcel Proust, *Swann*).

Clemenceau encouragea Monet à peindre d'immenses panneaux – on peut les voir au Musée de l'Orangerie aux Tuileries. Le peintre fit alors construire un très grand atelier. "Je vis contre le mur", écrit Marc Elder le 8 mai 1922, "les grands châssis sur lesquels Claude Monet a fixé les éphémères aveux de son étang aux nymphéas...

Les clous sont en place, le bord tendu. Une main forte, nerveuse a déchiré le panneau... Sous la table, la pile de toiles que les serviteurs ont ordre de brûler" (*A Giverny chez Claude Monet*, Paris, 1924).

CLAUDE MONET (1840–1926)

Peint en 1878

Rue Montorgueil

61 × 33 cm

Musée des Beaux-Arts, Rouen

Ce n'est pas, comme on le croit habituellement la fête na-tionale du quatorze juillet qui inspira à Monet cette toile, mais la célébration de l'armistice du trente juin 1878, à l'ouverture de l'Exposition Universelle. De son côté, Manet peignit le même jour une toile, *La Rue Mosnier aux Drapeaux*, mais la toile de Monet est plus inspirée. C'est une œuvre maîtresse de l'Impressionnisme. Tout est là — la sensation, la couleur, la lumière. L'artiste a su donner à la prolifération de drapeaux tricolores, par leur disposition, un rythme extrêmement vivant. La toile est ponctuée de traits à l'avant-plan, ouvrant ainsi la perspec-tive jusqu'au bout de la rue.

"Il peint de loin", dit un collègue critique à Philippe Burty. En haut, tout près, il y a "une surface bigarrée, ir-régulière, veloutée comme le revers d'une tapisserie des

Gobelins... quand on s'approche... Mais de loin, dans une bonne lumière, on voit comment les lignes, les tona-lités, l'abondance des masses contribuent à l'effet".

En cette même année 1878, Monet, dans une lettre écrite au 26 rue d'Edimbourg, demande à Zola de lui prê-ter deux ou trois louis "ou même un seul". Sa femme vient de donner naissance à un fils. "Vous me feriez une bien grande faveur car j'ai couru tout le jour hier sans pouvoir trouver un sou".

Monet n'était pas encore célèbre. "Il dut supporter", selon Geffroy, "les grossiers jugements des prétentieux, les railleries des frivoles, la colère des peintres à succès qui se sentaient menacés, les complots ourdis contre lui pour que ses œuvres ne soient pas exposées".

84

CAMILLE PISSARRO (1830–1903)

Peint en 1877

Potager, arbres en fleurs, printemps, Pontoise

Toile, 65 × 82 cm
Musée d'Orsay, Paris

En 1877, Camille Pissarro travaille à Pontoise avec Paul Cézanne, qu'il persuada de peindre en plein-air. Au début de sa carrière – encore sous l'influence de Courbet, et plus encore de Corot-il exposa ce verger et vingt-et-un autres paysages à la troisième exposition impressionniste, qui eut lieu Rue Le Peletier en avril de cette même année.

Il commence alors à développer son propre style. Dans cette atmosphère paisible et rurale qu'il peindra souvent, le verger, le pommier deviennent prétextes à une véritable féerie de couleurs. "La lumière irradie jusqu'aux coins les plus reculés de ses toiles", disait Georges Lecomte, ajoutant: "Travaillant avec Cézanne, Piette et Guillaumin en plein-air, il s'efforçait de donner à ses toiles cette qualité à la fois intense et sereine, incorporelle". C'est en 1877 aussi qu'il commença à se servir de cadres blancs pour mieux respecter les tonalités de ses toiles.

En 1870 père Martin, un marchand de tableaux qui vivait au bout de la Rue Laffitte, la rue des marchands de tableaux de l'époque (il avait soutenu Jongkind avant lui), mit en vente certaines de ses toiles. Théodore Duret raconte que Martin avait acheté ces peintures à l'artiste pour quarante francs, qu'il essaya de les vendre le double mais dût les céder pour soixante. De nos jours, elles sont parmi celles qu'estiment le plus les connaisseurs – sentiers bordés d'arbres, vergers et rues sous la neige.

CAMILLE PISSARRO (1830–1903)

Peint en 1888

Ile Lacroix, Rouen – brouillard

Toile, 46 × 55 cm
Collection John G. Johnson, Philadelphie

Cette vue de Rouen – remorque dans le brouillard – date de la période néo-impressionniste de Pissarro ou du moins de celle pendant laquelle il adopta la technique pointilliste.

Comme ce fut le cas pour Seurat, la nouvelle technique contraignit Pissarro à travailler avec les masses et les grands plans (le bateau à l'avant-plan gauche, la cheminée d'usine à l'avant-plan droit). Il réussit à se familiariser et à maitriser cette nouvelle manière qui demande un grand contrôle de l'espace pictural. Comme Seurat et Dubois-Pillet, Pissarro peint là où "il n'y a rien" d'autre que le ciel et l'eau pour retenir l'oeil. Sous son pinceau, ces éléments se mettent à vivre et à vibrer d'une clarté éblouissante et subtile. On traverse des yeux l'étendue d'eau ravis de voir et de faire l'expérience du peintre, avec lui (et n'est-ce pas là l'essentiel?) de sentir avec lui ce que sa main a su transcrire, cette vibration de la lumière, les couches argentées – bien qu'assourdies – de couleur.

Ce sentiment d'espace ouvert, d'immensité que l'on ressent devant la toile est encore accru par les petites silhouettes des deux hommes sur le pont du bateau amarré.

CAMILLE PISSARRO (1830–1903)

Peint en 1898

Place du Théâtre-Français, Paris

Toile, 73 × 92 cm
Institute of Arts, Minneapolis

A partir de 1897, voulant épargner sa vue, – il ne supportait plus de travailler en plein-air très longtemps – Pissarro se mit à peindre une série de scènes parisiennes. Pour ce faire, il loua des apartements et c'est de la fenêtre d'un coin de la Rue Drouot qu'il peignit le boulevard Montmartre. De la maison de Mme Rolland, Place Dauphine, il peignit nombre de vues du Pont Neuf. De l'appartement où il devait finir ses jours sur la Boulevard Morland, il peignit le Quai Henri IV. Pendant un temps, en 1898, il loua une pièce au Palais Royal. Le onze février de cette même année, Signac notait dans son journal: "Allé voir père Pissarro à l'hôtel du Louvre où il s'est installé pour peindre l'Avenue de l'Opéra et la Place du Théâtre Français de ses fenêtres... Il est plus jovial que jamais, travaille avec enthousiasme et parle avec feu de l'affaire Dreyfus".

L'activité de la place avec sa fontaine conçue par Hittorf, l'embouteillage de voitures, la foule des passants, et les quelques arbres malingres y sont traités en tonalités délicates.

Il passait ses jours à peindre, attendant l'heure où il rencontrerait ses amis au café, où selon Gustave Kahn "il demandait toujours un grog froid puis remplissait son verre d'eau et laissait intact le carafon d'alcool. C'était sa façon à lui, élégante et exigeante, de commander un verre d'eau et puis de payer pour le privilège d'être assis là".

CAMILLE PISSARRO (1830–1903)

Peint en 1901

Fenaison à Eragny

Toile, 54 × 65 cm
National Gallery of Canada, Ottawa

En 1885, Pissarro s'installa pour de bon à Eragny-sur-Epte, non loin de Gisors. Millet seul avant lui avait su traduire un si grand amour de la terre et de la vie de la terre. Mais Millet nous donne à voir une émotion plus champêtre que bucolique; l'attachement pour la terre est d'ordre général, et son art ressemble un peu à une sorte de sermon pictural sur la vie à la campagne. Pissarro – qui lui devait beaucoup – nous donne à voir une émotion plus directe, plus intime.

Ce fut sans doute au cours de l'été 1801 que Pissarro peignit cette fenaison (il séjourna à Eragny jusqu'au 19 juillet, avant de partir pour Dieppe). Dans ce tableau, tout – les arbres, le champs, les moissonneurs – participe de l'atmosphère. L'air enveloppe ces personnages qui sont partie intégrante de l'environnement et se fondent dans le décor. Le tout dans une palette claire, couleur de miel, avec des tonalités vertes et bleues. Toute la scène frémit de vie et de lumière. La femme sur la droite, vêtue d'un corsage bleu et d'un tablier brun, le profil délicatement souligné par la lumière, se tient immobile telle une cariatide, et regarde ses compagnons qui râtissent.

Cette toile est l'une des plus représentatives de l'artiste auquel Cézanne doit ses débuts de peintre. Nous nous arrêtons longtemps, à sentir la chaleur du jour d'été, la vibration de la lumière, et la saine joie du plein-air.

92

PAUL CÉZANNE (1839–1906)

Peint vers 1873

Une Moderne Olympia

Toile, 46 × 55 cm
Musée d'Orsay, Paris

A cette époque, Cézanne cherchait chez les Vénitiens son inspiration érotique. Il avait peint *L'Orgie* quelques années auparavant. Dans cette *Olympia* où il reprend de façon délibérée le thème de Manet pour en donner son interprétation à lui, le peintre d'Aix pour la première fois se déclare réaliste. On pense aux dernières lignes de *L'Education sentimentale* de Flaubert que Cézanne avait lu avec grand intérêt.

Ce tableau, dont il existe une autre version, antérieure, fut exposé à Paris à la première exposition impressionniste dans les salons de Nadar. Il fut peint à Auvers-sur-Oise, dans la maison du Docteur Gachet dont le fils Paul nous relate la genèse: "Un jour le Docteur Gachet parlait de l'*Olympia* de Manet, avec une si grande admiration que l'amour-propre de Cézanne en fut piqué. Il saisit une toile, et entreprit presque immédiatement de peindre *Une Moderne Olympia* avec une fougue éblouissante" (Paul Gachet, *Deux Amis des Impressionnistes: le Docteur Gachet et Murer*, Paris, 1956).

C'est une toile baroque qui n'use de la palette bleu-vert de Cézanne que timidement. Il avait alors trente-quatre ans. Ayant quitté Aix, tel Zola pour conquérir Paris, s'étant défait de tous les principes orthodoxes, Paul Gachet le décrit "animé par une volonté têtue de réussir. Ne voulant accepter à aucun prix de mener la vie bourgeoise que son père banquier lui offrait, il préférait mener une existence rude avec Hortense Figuet et leur enfant à Auvers où il arriva avec un baluchon de toiles bon marché et non marouflées et quelques toiles de mauvais format, suivant en cela les pratiques économiques de Guillaumin (il ne dédaigna cependant pas une bonne toile de temps à autre, comme pour *La Maison du Pendu*, et *Une Moderne Olympia*)". Cézanne à cette époque portait une ceinture rouge d'ouvrier pour tenir ses pantalons. Un autre de ses compagnons à Auvers s'appelait Camille Pissarro; il peignit avec lui dans la campagne environnante et plus particulièrement à Pontoise. C'est Pissarro qui l'incita à éclaircir sa palette et l'introduisit à la division des tons.

94

PAUL CÉZANNE (1839–1906)

Peint vers 1879–80

Le Pont de Maincy

Toile, 58 × 73 cm
Musée d'Orsay, Paris

De cette toile se dégage une extraordinaire fraîcheur, une merveilleuse symphonie de verts sur l'eau, calme, étincelante qu'orchestrent les arches de pierre blanche qui répondent aux pieds du pont. Le ciel, la maison rose, les deux troncs d'arbre verticaux, placés à l'avant pour ouvrir l'espace derrière — tout dans ce tableau concourt à en faire une œuvre inoubliable. Il ne s'agit plus d'un coin, d'un morceau de nature. Le peintre est devenu ici poète transcendental.

Et par la forme et par la couleur, Cézanne offre à nos yeux un nouvel univers qui va bien plus loin que la simple représentation d'un motif. Notre regard est entraîné dans un royaumne où nous aimerions être, où tout est clair et pur, un refuge contre le monde extérieur. C'est – en dépit de la dette à Courbet et aux Réalistes – un état de l'être, un sentiment profond qui s'exprime ici et qui dépasse l'objet représenté. On pense à Baudelaire qui dans son introduction à la traduction des histoires d'Edgar Poe, *Les Nouvelles Histoires Extraordinaires*, parle de l'émotion provoquée par certaines œuvres qui sont "la preuve d'une mélancolie exacerbée, d'une prostration des nerfs, d'une nature éxilée dans l'imparfait, et qui aimerait saisir sur cette terre un paradis révélé".

Cézanne a réussi à "refaire comme Poussin sur la base de la nature". Sa veine créative éclate dans la couleur qui devient sa consolation, son tout. Avant d'appartenir à la collection de Victor Chocquet, la toile passa par les mains du "père" Tanguy, le marchand qui, seul en son temps, exposa les toiles de l'artiste, sans succès, dans sa boutique de la Rue Clauzel. "Vous alliez chez Tanguy comme vous alliez au musée", dit Emile Bernard, "pour y voir quelles études il y avait de cet artiste inconnu qui vivait à Aix... Les jeunes gens sentirent son génie, les vieux la folie du paradoxe, les jaloux parlaient d'impuissance".

A la vente de Chocquet en 1899, cette toile que le collectionneur avait acheté 170 francs à Cézanne atteignit 2200 francs.

PAUL CÉZANNE (1839–1906)

Peint en 1885–86

Village de Gardanne

Toile, 92 × 75 cm
Brooklyn Museum, New York

Quand on sillonne la Provence, on a partout l'impression de voir la palette et la touche de Cézanne. Oscar Wilde n'avait pas tort de dire que la nature imite l'art. Seule une très forte personnalité pouvait arriver à une compréhension si intime d'une région et à la peindre avec une telle intensité, au point que le voyageur a parfois la conviction que les Appenins sont copiés, comme pris d'un tableau de Corot, ou le Tholonet et Gardanne d'un tableau de Cézanne. Gardanne est un paysage construit avec amour. Cézanne laisse la toile transparaître dans le coin bas droit. Cela donne plus d'importance, plus de solidité au reste. La toile, à dominantes vertes et brun rosé est comme tirée vers le haut par les verticales des maisons et des arbres. C'est toute la Provence qui se dresse devant nous, telle une personne qui nous parlerait.

Geffroy cite Renoir: "C'était une vision inoubliable, Cézanne à son chevalet, peignant et regardant le paysage. Il était vraiment seul au monde passionné, concentré, attentif, respectueux. Il revenait le lendemain puis chaque jour suivant redoublait d'efforts; parfois il s'en allait désespéré, laissant sa toile, sur une pierre ou sur l'herbe, à la merci du vent, de la pluie, du soleil, s'enfoncer pour que le sol l'absorbe. La nature reprenait ses droits sur le paysage peint".

98

PAUL CÉZANNE (1839–1906)

Peint en 1893–95

Garçon au gilet rouge

Toile, 89 × 72 cm

Collection Mr et Mme Paul Mellon, Upperville, Virginie

C'est, et de loin, le plus beau de la série que Cézanne peignit sur ce thème. Le jeune homme est pensif. Le peintre a mis là tout son art, toute sa sensibilité, toute la puissance de sa couleur. Le mouvement en est élégant. Ce tableau occupe la même place dans l'oeuvre de Cézanne que le Gilles dans celle de Watteau. Il y a là une force dans le dessin et cependant tout est dit en très peu de coups de pinceau. Le rouge du gilet est comme une tache de sang indue sur ce garçon encore à l'âge du rêve éveillé. La toile réussit à communiquer le sentiment du sublime. L'épais rideau est aussi lourd avec ses gris-bleu que le jeune homme est léger et agile.

C'est une apparition, qui, je ne saurais bien dire pourquoi, me fait penser à l'apparition de l'artiste sur la scène du monde.

Ce qui importe pour Cézanne n'est pas tant l'imitation exacte du réel que la transcendance de la réalité extérieure. Dans toute son oeuvre, l'on sent cette tension, cette pression interne qui finit par tout emporter avec soi. Des valeurs? Il les rejette pour les remplacer par la couleur. Le dessin? Il l'ignore pour mieux se concentrer sur la masse dans l'espace. Il aimerait ne jamais finir, ne jamais poser le dernier coup de pinceau qui, soudain, lui échappe. C'est de cela que vient sa pâte rugueuse, très différente des surfaces lisses d'un Manet ou d'un Renoir.

ARMAND GUILLAUMIN (1841–1927)

Peint en 1873

Soleil couchant à Ivry

Toile, 65 × 81cm
Musée d'Orsay, Paris

Nous avons ici dans les tonalités soutenues du paysage un avant-goût du fauvisme, et peut-être aussi pour la première fois le motif des cheminées d'usine que Van Gogh utilisera à l'arrière-plan des toiles qu'il peignit sur ce même thème. Rien pour Guillaumin ne semblait assez vivant. Dans l'étude qu'il fit de la Huitième et dernière exposition impressionniste, Henry Fèvre note que Guillaumin "est capable de jeter un soleil insolent en pleine face, qui fait baisser les yeux". Le critique parle de la passion du peintre pour le soleil, de son coloris surchargé. Dans son oeuvre, "l'herbe est dorée, les ombres sont d'un intense violet" ("Etude sur le Salon de 1886 et sur l'Exposition des Impressionnistes", *Demain,* Paris, 1886).

On dit des Impressionnistes qu'ils furent saisis de "violettomanie". Le reproche s'adresse surtout à Guillaumin. Et c'est lui que Huysmans avait présent à l'esprit quand, écrivant sur la Cinquième exposition impressionniste dans *L'Art Moderne*, il note que l'œil de ces peintres est monomaniaque, "celui-là voit le bleu partout dans la nature, celui-ci ne voit que du violet; la terre, le ciel, l'eau, la chair tout dans leurs oeuvres prend la couleur du lilas et de l'aubergine".

Soleil couchant à Ivry fut exposé à la première exposition impressionniste en 1874. Avant d'appartenir au Louvre, la toile appartint au Dr Gachet.

EDGAR DEGAS (1834–1917)

Peint en 1865

Femme aux chrysanthèmes

Toile, 73 × 92 cm
Metropolitan Museum of Art, New York.
Collection H.O. Havemeyer

Degas rajeunit ici l'art du portrait par l'audace de sa composition. On ne saurait dire ce qui est le plus important: le bouquet, la table, ou la femme. Cela importe peu puisque tout dans le tableau a la même valeur picturale; tout, dessin, couleur, et harmonie, est dûment pensé. Les teintes vives et variées des chrysanthèmes s'opposent aux tons neutres et jaunes du portrait. Le trait est net, et serait même sec s'il n'était magnifié par la couleur. C'est l'un des premiers tableaux dans lequel la mise en page est désaxée. Degas coupe son sujet au moyen du cadre, à la manière japonaise, et la toile semble n'être pas composée, car la femme pourrait tout aussi bien être assise à la table. Tout ici a été réfléchi et disposé sciemment, même le pichet de cristal et les gants jetés négligemment.

Ici l'artiste se moque; il est spirituel, parisien (avec un peu de cet esprit napolitain qu'il hérita de ses ancêtres). Comme s'il s'exhortait lui-même, il note: "Peindre des portraits dans des attitudes familières et typiques, et pardessus tout donner autant d'importance à l'expression du visage qu'à celle de leur corps".

Degas était plus dessinateur qu'aucun autre Impressionniste. Avec Ingres, il eut pu dire "*Nulla dies sine linea*". Il est le dessinateur du groupe. Il aimait à méditer tout en prenant des notes d'après nature: "Pour faire un portrait", disait-il, "faites poser le modèle sur le sol et mettez-vous plus haut que lui pour travailler, pour vous habituer à vous souvenir des formes et des expressions, et ne dessinez ou ne peignez jamais tout de suite".

EDGAR DEGAS (1834–1917)

Dessiné en 1877

Femmes à une terrasse de café

Pastel, 42 × 60 cm
Musée d'Orsay, Paris

Ici la représentation de la scène entre les piliers du café à Montmartre est audacieuse. Degas décrit de façon convaincante la nonchalance de ces prostituées qui discutent de la générosité ou de l'avarice de leurs clients. "Voici des femmes à la porte d'un café le soir", écrit Georges Rivière dans le premier numéro du magazine *L'Impressionniste* (1877). "L'une se frappe les dents d'un ongle en s'exclamant: "Ce n'est pas tout ça!" Une autre étale sa forte main gantée sur la table. Dans le fond, le boulevard où la foule se disperse petit à petit. C'est une page d'histoire extraordinaire".

Pour ce pastel, Degas abandonne sa technique fluide adoptant une manière plus vigoureuse où les coups de pinceau se chevauchent. Il s'ensuit une plus grande expressivité. Il peindra ensuite des nus dans des attitudes très intimes, ce qui fera dire à Henry Fèvre: "M. Degas, avec la superbe impudeur de l'artiste, déshabille pour nous la chair gonflée, lourde, moderne de la femme publique. Dans les sordides chambres de maisons de passe où elles remplissent leur rôle social et utilitaire de grandes collecteuses de l'amour, ces dames bien en chair se lavent, se brossent, se savonnent et se sèchent dans des bassines larges comme des auges". *"Etude sur le Salon de 1886 et sur l'Exposition des Impressionnistes", Demain*, Paris, 1886).)

Ce pastel fut exposé en 1877 à la troisième exposition de la Rue Le Peletier. Il fit ensuite partie de la collection Caillebotte.

EDGAR DEGAS (1834–1917)

Dessiné vers 1878

L'Etoile

Pastel, 60 × 44 cm
Musée d'Orsay, Paris

C'est peut-être l'un des plus célèbres Degas, un Degas où la femme, comme Félix Fénéon l'a bien noté, n'est pas "souillée par une comparaison avec l'animal". Cette danseuse sur scène est tout au contraire une sorte de fée de l'illusion. L'artiste la voit "se pencher et pirouetter, de ses jambes, éxécutant des prouesses de jetés et de chassés, de battements et d'entrechats" (Roger Marx, *Maîtres d'hier et d'aujourd'hui*, Paris, 1914). Le buste est jeté à l'avant, les bras sont levés avec toute la grâce d'une première de ballet, elle a des fleurs dans les cheveux, sur le corps, à la taille; et une brillante nuée rouge formée par les feux de la rampe et de douces demi-ombres projetées par les décors, entoure le tout. La matière du pastel donne à l'œuvre les teintes et l'éclat d'ailes de papillon.

Sept ans plus tôt, le 30 septembre 1871, Degas écrivait au peintre James Tissot à Londres: "Je viens d'avoir, et j'ai encore des ennuis avec mes yeux. Cela est arrivé sur la berge de la rivière à Chatou, alors que je peignais une aquarelle en plein soleil, et pendant trois semaines je fus incapable de lire, de travailler ou de sortir, et j'ai eu très peur de ne pas guérir".

Par sa couleur, son mouvement et sa délicatesse ce pastel est, à mon avis, le meilleur exemple que l'on puisse donner de Degas l'Impressionniste. C'est aussi un exemple du degré d'enchantement auquel peut atteindre un sujet réaliste. Ce pastel faisait partie de la collection Caillebotte.

PIERRE-AUGUSTE RENOIR (1841–1919)

Peint en 1874

La Loge

Toile, 79 × 63 cm
Courtauld Institute, Londres

C'est à une véritable fête de la féminité que les différents roses et les tons de la chair nous convient ici. Renoir réussit une harmonie enchanteresse par son emploi de l'or et de l'argent, de noir bleu et de blancs. Roger Marx parle de ces tons ambrés "qui, dans les tableaux de Renoir, donnent à la peau une qualité blonde, comme le velours et l'iridescence de la nacre".

Nous sentons comme un battement de cils, une respiration, un certain frémissement, une émotion qui naît, et qui nous fait participer à ce bonheur de vivre que possédait si bien Renoir.

Les fleurs dans les cheveux et sur le corsage, les gants blancs, les jumelles tenues avec beaucoup de distinction nous feraient presque douter que ce fût un modèle professionnel qui posa pour cette toile, Nina Lopez. L'homme qui se penche en arrière et qui regarde la galerie de ses jumelles, c'est Edmond Renoir, le frère du peintre.

La même année, en 1874, Renoir contribua à la première exposition impressionniste avec six toiles. Plus tard, quand ses compagnons se vantèrent de la liberté qu'ils avaient découverte dans la peinture du paysage, Renoir se mit à douter de lui. "Hélas. Je suis peintre de figures", écrit-il à Claude Monet à la fin du mois de janvier 1884. C'est pourtant là que réside son originalité.

110

PIERRE-AUGUSTE RENOIR
(1841–1919)

Peint en 1876

Le Bal du Moulin de la Galette

Toile, 92 × 73 cm
Musée d'Orsay, Paris

On a dit que Renoir peignait ses contemporains. *Le Bal du Moulin de la Galette* est l'une de ces scènes les plus réussies. Cette toile doit quelque chose à Manet mais il n'est plus question, comme dans *La Musique aux Tuileries* de grandes plages lumineuses autour d'un dessin dont on voit encore par endroits le fusain. C'est une mine de notations d'après nature, une fusée qui explose et éclabousse de soleil les danseurs et les badauds. La forme y est traitée de manière spontanée, par des touches colorées, par l'interjection de tonalités et semble-t-il pas de contours.

C'est selon Gustave Geffroy "une somme d'observations d'après-nature et de jeux de lumière – l'ébriété de la danse, le bruit, le soleil, la poussière d'une fête de plein-air – le plaisir sur les visages, le nonchalant d'une attitude – un rythme qui fait tournoyer le rose, le bleu clair èt le bleu sombre des vêtements, puis s'arrête – un mouvement passionné une ombre qui avance, un feu qui couve, le plaisir et la fatigue..."

La toile est un tout homogène dans lequel l'artiste évoque avec une égale aisance les arbres, les tables chargées de verres, les couples de buveurs et de danseurs. Elle est douée du pouvoir de nous faire voir, comprendre et sentir. Elle est riche de ce que les poètes one appelé les correspondances.

La plupart des personnages sont des modèles ou des amis du peintre. Au premier plan, Estelle, dans une robe rayée rose et bleue, est assise sur un banc. Autour de la table il y a Lamy, Norbert Goeneutte, Georges Rivière, parmi les danseurs, Gervex, Cordey,Lestringuez, Lhote. Au centre du tableau, l'Espagnol Solares y Cardenas danse avec Margot.

L'œuvre faisait partie de la collection Caillebotte.

112

PIERRE-AUGUSTE RENOIR (1841–1919)

Peint en 1879

La Fin du déjeuner

Toile, 99 × 82 cm
Städelsches Kunstinstitut, Francfort

Ici encore c'est d'amour de la vie, du bonheur de vivre que parle Renoir. Renoir, qui admirait Delacroix, fit sienne cette remarque de ce précurseur de l'Impressionnisme: "La chair n'a pas sa vraie couleur si ce n'est en plein-air et surtout au soleil". Nul autre ne sut mieux que Renoir rendre les jeux de lumière filtrant à travers le feuillage. Ses Vénus n'ont rien de lascif, elles appartiennent à ce calme et joyeux royaume de la lumière, de la couleur et de la tendresse qui fut le sien.

L'homme dans le coin allume une cigarette en présence des deux femmes, l'une vêtue de noir, l'autre de blanc. Cette dernière levant son verre, c'est Ellen Andrée, qui posa aussi pour Manet et Degas. La femme debout est une autre des modèles de Renoir. L'homme, gai compagnon de ces nymphes de Montmartre. Nous sommes ici au Cabaret d'Olivier.

Renoir mieux que personne savait mélanger l'huile et la térébenthine et en tirer ces fins glacis. Il abusa parfois de cette virtuosité, ce qui faisait dire à Degas: "Il met des papillons sur la toile". Renoir rehausse souvent ses tons (surtout plus tard dans ses *Baigneuses*) en disant: "On aimera cela que dans quinze ou vingt ans. Mais elles sont nécessaires pour le tableau et l'usure du temps, et puis il faut que le public s'habitue à de telles couleurs" (Georges Rivière, *L'Art vivant*, 1 juillet 1925).

114

PIERRE-AUGUSTE RENOIR (1841–1919)

Peint en 1902

La Toilette (Grande Baigneuse aux jambes croisées)

Toile, 92 × 73 cm
Kunsthistorisches Museum, Vienne

Cette baigneuse, la peau pommelée de lumière, la poitrine ferme et la cuisse splendide, est l'un des chefs-d'œuvre de Renoir d'après 1900. La courbe des épaules et des hanches, la magnifique chevelure, douce et abondante, les lèvres gonflées d'une joie animale, la sensualité du menton rond, l'exultation franche de la chair — tout ici nous parle de bonheur et de fécondité.

Cette déese appartient au genre humain. "Elle est belle et ça suffit". Dans la douleur de notre existence, elle apporte une vision de bonheur sans ombre et de jours ensoleillés.

"Ses femmes", dit Albert Aurier, "appartiennent au dix-huitième siècle". En cela, Renoir égale et surpasse Clodion; Renoir, modeste, écrit à son marchand Paul Durand-Ruel sur un billet qui accompagne les toiles qu'il lui expédie: "Elles ont une continuation du dix-huitième siècle....pas aussi bonnes". On peut aussi dire que Renoir le sculpteur fut un prédécesseur de Maillol.

Il existe plusieurs versions de cette *Baigneuse*, dont Renoir reprendra le thème encore et encore entre 1902 et 1903.

ALFRED SISLEY (1839–1899)

Peint vers 1873

Louveciennes – Hauteur de Marly

Toile, 38 × 46 cm
Musée d'Orsay, Paris

Après avoir un temps fréquenté l'Atelier Gleyre, Sisley travailla à Chailly avec Frédéric Bazille, et plus tard à Marlotte près de Fontainebleau avec Renoir avec qui il habitait chez la mère Anthon. En 1865, les deux compagnons descendirent la Seine en bateau jusqu'au Havre. Après avoir peint à Argenteuil, Sisley s'installa à Louveciennes en 1871 où il commença de développer sa propre personnalité, se détachant de l'influence de Corot.

Cette toile, un chemin qui descend parmi des maisons entourées de jardins, est tout à la fois délicieuse et émouvante. On y sent le grand amour de l'artiste pour la nature, son plaisir en présence d'une réalité visuelle qui pour lui est devenue musicale. Nulle part ailleurs qu'ici, les coups de pinceau font penser, à des notes de musique. La joie du peintre rehausse le sujet, prétexte à un lyrisme qui prend la forme d'un toit d'ardoises grises, de pierres et de feuilles exubérantes. La femme qui s'en va dans le paysage n'est-elle pas une transposition de l'artiste lui-même qui arrête le temps pour prendre possession du moment?

Eugène Murer, ami de ceux qu'il appelait "les mousquetaires de l'Impressionnisme" Monet, Renoir, Pissarro et Sisley, disait de ce dernier: "Si Claude Monet n'avait pas été son ami et contemporain, il aurait été le plus doué paysagiste de la fin du siècle. Sisley savait cela et avait parfois la faiblesse de montrer un peu d'amertume envers son illustre camarade. Mais bien que venant après lui, il n'en est pas moins un très grand artiste, plein de sentiment et de lumière" (Paul Gachet, *Deux Amis des Impressionnistes: le Docteur Gachet et Murer*, Paris, 1956).

118

ALFRED SISLEY (1839–1899)

Peint vers 1874

Régates à Molesey

Toile, 62 × 92 cm
Musée d'Orsay, Paris

La technique de Sisley atteint ici un grand degré de liberté. C'est presque avec des idéogrammes qu'il décrit les gestes vifs des rameurs. Sa brosse rapide, spontanée, ses coups de pinceau en forme de virgules donnent à la toile sa résonance. Aux grands drapeaux qui ondoient au vent, il oppose les verticales blanches des jurés à l'avant-plan et les taches représentant les promeneurs sur le mont de l'autre berge aux mouvements obliques des bateliers avec un art très habile.

De parenté anglaise, Sisley travailla quelque temps dans une entreprise londonienne quand il avait dix-huit ans. Dix-sept ans plus tard, il retourne dans son pays avec Jean-Baptiste Faure, baryton à l'opéra, ami et amateur de Monet; près de la capitale, il peint cette toile.

A cette époque, les toiles de Sisley, se vendaient entre cinquante et trois cent francs. Elles ne cessaient de baisser avec le temps mais l'artiste continuait à les envoyer au salon officiel car, comme il le disait, "Si je suis accepté, je pense que je vendrais mieux". Théodore Duret l'aida à trouver des acheteurs. Vers 1878, il trouva en Jourde, directeur du journal Le Siècle, un mécène; Jourde lui acheta sept toiles bien que le journaliste chargé de la rubrique artistique de son propre journal, Castagnary, ami de Courbet et avocat du réalisme, n'eut pas beaucoup d'estime pour la peinture impressionniste. Cette toile appartint à la Collection Caillebotte.

ALFRED SISLEY (1839–1899)

Peint en 1874

La Neige à Louveciennes

Toile, 55 × 47 cm
Collection Phillips, Washington

Sisley est avant tout le peintre de la neige. Personne mieux que lui n'a su transcrire cette saison et cette sensation particulière que donne un effet de neige. Devant ce paysage floconneux, on ne peut qu' admirer la force d'évocation de son art. On devient partie de la scène d'hiver. Quelque chose de plus musical que pictural nous envahit, nous enveloppe comme la poésie.

La femme qui s'avançe vers nous dans la tempête sous son grand parapluie, dans la blancheur bleutée de la neige qui jonche le sol, est la note qui met en branle cette petite symphonie. La nature quotidienne en est un instant transfigurée et vêtue d'un blanc mystère.

Paul Signac, avec justesse, voyant les toiles de Sisley chez Durand-Ruel en avril 1899, notait: "C'est lui qui, c'est évident, divisa sa palette le premier".

BERTHE MORISOT (1841–1895)

Peint en 1872

Le Balcon

Toile, 60 × 51 cm
Collection Ittleson, New York

Cette toile nous montre la sœur de l'artiste, Mme Pontillon, et sa nièce (qui deviendra Mme Paul Gobillard) sur le balcon d'un hôtel de la Rue Franklin, à Paris.

Ici nous avons le côté charmant de cette femme si délicate et si délicieusement féminine, dont l'oeuvre se situe entre les larges compositions lumineuses de Manet et les factures dansantes de l'Impressionnisme. Ici il y a une tendresse, un don dans l'évocation de l'enfance et de la féminité qui touche le cœur. De la terrasse on voit la Seine; au loin se dresse la coupole dorée des Invalides. Cette femme en noir qui regarde la ville, cette enfant qui s'accroche maladroitement aux grilles du balcon, les fleurs à droite, placées là en tribu à Fantin-Latour, l'évocation du paysage (où la Tour Eiffel n'apparaîtra pas avant dix-sept ans encore), tout ici nous invite à une gentille rêverie.

Regardez les coups de pinceau sur l'ombrelle, la surface bien pavée de la terrasse, le profil de Mme Pontillon, la dame de province qui vient contempler Paris. Toute la scène, neutre dans l'emploi de la couleur et peinte à contre-jour, est conçue pour faire ressortir les détails de la partie illuminée et nous plonger dans le doux charme de l'atmosphère avec ses subtiles modulations, car l'impression y est traitée plus par l'atmosphère générale que par le style.

Il existe une aquarelle sur ce thème à l'Institut de Chicago.

124

BERTHE MORISOT (1841–1895)

Peint en 1875

Eugène Manet sur l'Ile de Wight

Toile, 38 × 47 cm
Collection particulière, France

Voici une petite symphonie toute faite de nuances qui montre peut-être bien la sensibilité la plus délicate que l'on puisse trouver dans les toiles impressionnistes. Les rideaux de tons gris chaud et froid, du bleu au rose, contrastent avec les accents rouges des fleurs. L'homme, c'est Eugène Manet, frère du peintre. Lui et Berthe Morisot se sont mariés l'année précédente, le 22 décembre 1874. Agathe Rouart-Valéry, la petite nièce de l'artiste, nous dit: "Je ne crois pas que Berthe Morisot ait jamais peint aucun autre homme que son mari, et il se fatigua vite de poser".

Ici il y a le sentiment et une délicatesse, un sens de l'ouverture sur le quai et la mer, rares. Tout est marqué d'une intense, presque morbide, impression dont l'artiste parle dans son journal, une "impression proche des joies et des soucis que seuls connaissent les initiés".

Avant son mariage, nous devons nous rappeler que ce fut par Fantin-Latour, au Louvre, que Berthe Morisot – encouragée dans son travail par Corot – rencontra Edouard Manet, pour qui elle posa souvent avant d'épouser son frère. Elle descendait de Fragonard; vers la fin de sa vie, elle dit que le désir de gloire posthume lui semblait "une ambition démesurée. La mienne", ajouta-t-elle, "se limite au désir de transcrire quelque chose qui passe, oh, quelque chose, la moindre des choses".

BERTHE MORISOT (1841–1895)

Peint en 1879

Jeune femme en robe du soir

Toile, 71 × 54 cm
Musée d'Orsay, Paris

On voit ici avec quelle sensibilité originale et alerte Berthe Morisot réussit selon son désir à fixer l'éphémère. L'artiste n'a-t-elle pas tout dit dans cette jeune femme joyeuse sur le point de se lancer dans la danse comme une fleur? La lumière pénètre toute la toile, éblouissante et transparente à la fois, comme les facettes du cristal. Tout est dit clairement et tout est suggéré par la peau poudrée, le regard extasié, la gorge, la chaste ligne des épaules et des bras, l'ovale délicat du visage aux lèvres à peine peintes, la qualité vague et lumineuse de l'ensemble. Les accents sont appliqués avec un art consommé.

En premier lieu, ceux, violents, cinglants du fond qui font ressortir la pâleur rosée de la chair. Ceux des cheveux sont plus fins et plus doux. Tout, y compris la blancheur argentée des pivoines et la souplesse du dessin justifie l'admiration de Stéphane Mallarmé qui, à la vente de la collection de Théodore Duret le dix-neuf mars 1894 conseilla à l'Etat de l'acquérir pour le Louvre.

L'oeuvre fut peinte l'année où, malade après la naissance de sa fille Julie, Berthe Morisot passa l'été à Beuzeval-Houlgate. La toile fut exposée au Salon des Impressionnistes, Rue des Pyramides, en 1880 (c'était la cinquième exposition du groupe). "Il y a cinq ou six fous là-dedans, dont l'un est une femme", bégayait un critique.

MARY CASSATT (1845–1926)

Peint vers 1879

La Fille d' Alexandre Cassatt

Toile, 84 × 63 cm
Collection Mrs Richman Proskauer, New York

Pour les Impressionnistes, Mary Cassatt tint le rôle d'une bonne fée américaine qui sut venir en aide à ses amis peintres. Avant tout, ce fût elle qui leur présenta Paul Durand-Duel, et quand ils connurent de grandes difficultés matérielles de riches collectionneurs compatriotes et amis tel H.O. Havemeyer. Elle était amie de Degas; il la décrivit regardant une tombe étrusque au Louvre, le Musée des Antiquités (comme on l'appelait alors): "Elle peint comme si elle faisait des chapeaux", dit-il de cette femme, dont le thème préféré fut l'enfance.

Y-a-t-il rien de plus délicieux, de plus suggestif que la peinture de cette enfant dans toute sa fraîche vigueur, son bonheur et sa santé? La palette en est gaie, avec ses blancs et ses bleus céruléens.

Henry Fèvre disait d'elle: "C'est un bon artisan de l'Impressionnisme". Ses enfants, ouverts comme des fleurs, ne sont pas de petits angelots. Ils ne sont rien d'autre que des enfants heureux. Aux insécurités, aux problèmes sociaux que décrit un Carrière, Mary Cassatt oppose l'art équilibré d'une femme aisée et prospère.

FRÉDÉRIC BAZILLE (1841–1870)

Peint en 1869

Scène d'été

Toile, 158 × 159 cm
Fogg Art Museum, Harvard University, Cambridge, Massachusetts.
Don de M. et Mme F. Meynier de Salinelles

"Un grand type, fort, beau garçon, très gai et très généreux de son argent" – c'est ainsi que Tabarant nous décrit Bazille. Protestant du Sud, il était très doué. Parfois il aidait ses amis Monet et Renoir qu'il avait rencontré à l'Académie Gleyre en les laissant partager son atelier. Malgré leurs efforts pour l'en dissuader, il s'engagea dans l'armée en 1870, et fut tué au combat de Beaune-la-Rolande (Loiret).

Sa *Scène d'été*, l'un des chefs-d'œuvre de la peinture de plein-air, rayonne de soleil; elle n'en est pas moins solidement construite, anticipant presque *La Baignade* de Seurat. L'harmonie de vert et de bleu donne une tonalité froide à cette grande toile, dont il existe plusieurs études. "Pour les baigneurs – faire attention à mettre en rapport la valeur de l'eau claire avec l'herbe au soleil", lit-on de la main de Bazille en note dans un carnet de dessins où le peintre parle de cette scène de veine plus naturaliste que réaliste. Le paysage fut peint sur les rives du Lez.

C'est, avec *Monet après son Accident à l'Auberge de Chailly*, et l'*Atelier d'Artiste, Rue de la Condamine*, l'une des toiles les plus intéressantes de ce peintre, mort à l'âge de vingt-neuf ans.

MAX LIEBERMANN (1847–1935)

Peint en 1905

Le Restaurant "Oude Vinck" à Leyden

Toile, 71 × 88 cm
Kunsthaus, Zurich

Max Liebermann est le seul peintre allemand que l'on puisse appeler impressionniste. Corinth et Slevogt (qui firent partie avec lui de la Sécession de Berlin en 1898) ne peignirent que peu de toiles influencées par le mouvement français.

Fils d'un banquier berlinois, Liebermann vécut à Paris de 1873 à 1878, et passa plusieurs étés à Barbizon. L'influence du Manet de Rueil se lit bien dans son œuvre. C'est Liebermann qui introduisit dans son pays Monet et son groupe et s'en fit l'ardent défenseur. En 1878, il écrivit un essai sur Degas avec lequel il se sentait certaines affinités, considérant notamment le noir comme une couleur.

Pendant la période de transition qui le mena du réalisme de Courbet aux subtiles tonalités de l'Impressionnisme, Liebermann peignit une série d'autoportraits dans lesquels il se dépeint comme un observateur sec et satirique.

Il peint ce restaurant de plein-air de Leyden avec une palette claire, transparente et attentive, s'essayant à ces zones difficiles de lumière chères à Monet et à Renoir. La qualité du dessin, l'apparente improvisation, la luminosité du blanc et du jaune, cette façon d'ouvrir la toile à la lumière et à l'air et de préserver la limpidité presque magique de la couleur donnent à Liebermann une place, bien que tardive, parmi les Impressionnistes de la première manière.

PAUL GAUGUIN (1848–1903)

Peint en 1885

La Plage à Dieppe

Toile, 72 × 72 cm
Ny Carlsberg Glyptothek, Copenhague

De par sa couleur, sa lumière et sa technique cette toile est très claire. Mais la recherche de cet "architectural" que Gauguin avait déja entreprise à cette époque, on la sent ici. La construction de la toile avec ses bandes horizontales en-dessous du soleil, avec ses nuages ronds, est cassée par les mâts des voiliers et les silhouettes des baigneurs qui se sont aventurés au-delà de la première ligne des vagues.

A l'avant-plan, les figures assises donnent du poids; elles sont traitées en larges silhouettes, ce que Seurat fera aussi.

Dans celles de ses toiles où l'on peut voir l'influence de Pissarro, Gauguin est encore un impressionniste par son amour du soleil, la liberté de sa touche et le caractère spontané de ses couleurs – par une certaine manière japonaise aussi. Mais, dit Maurice Denis, "il aspirait à lire le livre où les lois éternelles de la beauté sont inscrites".

Féroce individualiste, Gauguin n'en aimait pas moins l'art populaire qui traduisait l'esprit de la communauté – il devait bientôt se tourner vers ce qu'il appela "le dessin sauvage" et "la couleur barbare".

VINCENT VAN GOGH (1853–1890)

Peint vers 1886–88

Quatorze juillet à Paris

Toile, 43 × 29 cm
Collection Hahnloser, Winterthur, Suisse

C'est une toile singulière dans l'œuvre de Vincent Van Gogh. Elle est impressionniste par sa technique rapide, la vivacité de ses coloris et son apparente improvisation; par l'outrance des couleurs, elle appartient déja au fauvisme.

La matière est traitée en larges touches et les tons suggèrent les trois couleurs du drapeau français, mais non pas d'une façon délibérée, consciente, plutôt dans un élan frénétique et virtuose. La turbulence de la couleur et la touche particulière de Van Gogh, Jacques-Emile Blanche, en un diagnostic sarcastique, les dénomme "parkinson pictural". Je vois ici au contraire le drame religieux de Van Gogh, perpétuel écorché qui se dévoue à la peinture comme à une voie de salut. Cet artiste accompli était plus qu'un "Hollandais volant de Provence". Lui et Gauguin ont prêté flanc à la légende, Gauguin à cause de ses îles du sud à la bretonne, Van Gogh par sa folie et l'épisode où il se trancha le lobe de l'oreille avec un rasoir. Mais pour ceux qui savent voir la vision qui sous-tend la toile, Van Gogh semble sortir victorieux. Ce tableau montre un Van Gogh qui essaie de se détourner des sensations éphémères des impressionnistes; on sent son effort pour regagner une certaine concision.

VINCENT VAN GOGH (1853–1890)

Peint en 1889

La Nuit Étoilée

Toile, 74 × 92 cm
Musée d'Art Moderne, New York. Donation Lillie P. Bliss

C'est une toile tardive. S'il y reste peu de traits caractéristiques de la technique impressionniste, on les décèle cependant encore dans la lumière nocture, dans l'émotion qui se dégage de cette nature comme transcendée par une personnalité forte et rare. Cette nuit impressionniste agrandit celle de Whistler et de Degas. Mais la toile va encore plus loin. Dans ses bleus et verts, le brillant de ses étoiles dorées, elle contient tout le mystère de la création.

En sa présentation de Van Gogh dans *Les Hommes d'Aujourd'hui* (no 390) Emile Bernard observe que "l'on se sent triste en présence des cyprès, tragiques comme des lances magnétiques qui percent les étoiles…"

GEORGES SEURAT (1859–1891)

Peint vers 1884

Le Canoë

Panneau, 18 × 26 cm
Collection particulière, Paris

Ce tableau est sûrement le plus impressionniste de toutes les œuvres de Seurat. On peut dire qu'ici, sous le prétexte que fournit le titre, le peintre a essayé de combiner tout ce qui est éphémère, le mouvement de la fragile embarcation glissant au fil de l'eau, le vent dans les feuilles, le passage du temps. Aucune autre œuvre ne donne un tel sen-

timent du moment – et du moment pris plus ou moins au hasard, comme un fragment détaché du tout.

Dans mon livre sur Seurat, j'ai suivi de Hauke en datant ce panneau des environs de 1887 mais il m'apparaît maintenant qu'il annonce *la Grande Jatte*, l'un des paysages dont Angrand, racontant son amitié avec Seurat, parle ainsi: "Conversations à l'atelier et retour au Café Marengo le soir, après les rencontres de l'après-midi à la brasserie et nous voilà côte à côte devant nos toiles respectives de la Grande Jatte. Il m'accueillit sans s'interrompre, sans poser sa palette ne détournant pas ses yeux mi-clos de son motif. Quand nous eûmes fini de travailler, nous traversâmes la Seine sur un petit bateau, l'*Artilleur*, et revinrent par Courbevoie et la Rue de Levis... [Seurat] me désigna au cours du chemin l'auréole pourpre de jeunes arbres que l'on venait de planter sur le boulevard le long de la rivière'' (Lettre à Lucie Couturier, le 4 juillet 1912, publiée dans *La Vie*, 1er octobre 1936).

Pages suivantes

GEORGES SEURAT (1859–1891)

Peint vers 1883–84

Une Baignade

Toile, 200 × 322 cm
National Gallery, Londres

C'est la première des grandes toiles de Seurat. Elle est peinte à grands traits, et les contours précis sont encore ici et là apparents. Cette technique, encore parfois linéaire, disparaîtra bientôt dans les compositions de l'artiste, *La Grande Jatte* et *Les Modèles*.

Mais on y mesure déjà ce don pour la synthèse que cet artiste révolutionnaire possédait. Ce qu'il y eut chez les Impressionnistes de fragmentaire, ou plus exactement de fragmenté, a complètement disparu de cette grande synthèse. L'artiste fit des études pour chaque détail du tableau, et les rassembla dans cette composition admirable, dont on peut dire qu'elle représente l'eau, le soleil, et tous les baigneurs de tous les étés du monde.

Il suffit de comparer cette symphonie de bleu, vert et rose à l'*Argenteuil* de Manet et au *Moulin de la Galette* de Renoir pour s'apercevoir tout de suite de l'extraordinaire contribution que Seurat apporta à la composition, sa connaissance de la couleur, et son habileté à mettre en scène (comme Meyer Schapiro l'a montré, on y voit l'influence de Puvis de Chavannes). Une autre innovation réside dans l'étude de la signification de la ligne selon sa direction et son emplacement dans le tableau. C'est à la lecture de Humbert de Superville – un livre publié á Leyden en 1827 – que la réflexion du peintre s'enrichit de ces considérations théoriques.

GEORGES SEURAT (1859–1891)

Peint en 1884–85

Un dimanche après-midi sur l'Ile de la Grande-Jatte

Toile, 250 × 330 cm
Art Institute, Chicago. Collection Helen Birch Bartlett

Tout ici a sa place dans la composition. L'on ne saurait changer le plus petit élément de cette grandiose scène estivale – une figure debout ou assise, un arbre, une perspective, un brin d'herbe – sans désorganiser le tout. C'est une toile exécutée avec minutie, dans laquelle le moindre détail a été dûment pensé au préalable. Le tableau nous offre une vue d'ensemble; la lumière, les couleurs, la transition des zones d'ombre aux zones de lumière - tout a été admirablement pesé et distribué, tout a sa place.

Cette grande oeuvre, qui au temps de sa création souleva de virulentes critiques (même parmi les Impressionnistes), fait penser à Chevreul, le chimiste dont les écrits firent une si profonde impression sur Seurat, qui, dans son essai *De l'Abstraction* (Dijon, 1864), dit: "Quand il s'agit de représenter un paysage ou un groupe de figures qui prennent part à une quelconque action, qu'elle soit publique ou privée, le peintre, s'il veut être fidèle, ne peut que représenter un moment du paysage où la lumière et l'ombre varient continuellement; il est obligé de choisir ce moment parmi d'autres. Il s'ensuit que ce moment doit être considéré comme une abstraction véritable du soleil, des moments qui composent la durée de la scène qu'il a choisie comme sujet. Si le peintre fait ainsi abstraction du temps, il traite de même l'espace, surtout quand il s'agit par exemple d'un grand paysage ou d'un grand groupe de personnes".

Peint vers 1883

L'Arrosoir

Panneau, 25 × 15 cm
Collection Mr et Mme Paul Mellon, Upperville, Virginie

C'est une étude par laquelle, en se limitant au choix d'un seul et unique objet, un arrosoir, le peintre fait montre de son habileté technique au cercle de ses amis. Le décor, c'est le jardin du Raincy, qui appartenait à Chrisostôme Seurat, le père du peintre, c'est aussi le soleil, la couleur, la chaleur de l'été. Seurat choisit un objet que d'autres impressionnistes ont peint avant lui mais il l'isole en un très gros plan.

"Seurat", dit Angrand (qui fut souvent son compagnon de travail), "était vraiment prédestiné, l'un des élus. Il était autant peintre que quiconque, et des plus grands malgré le choix d'un concept esthétique quasi-unique: l'harmonie. Quel rare objet! Il réduisait son motif, un objet qu'il choisissait modeste pour commencer, dont il éliminait tous les détails pittoresques et le recréait par le seul emploi de tons miraculeux, subtils et expressifs" (Lettre à Lucie Couturier, datée du 4 juillet 1912, publiée dans *la Vie*, 1er octobre 1936).

Plus encore que chez Monet et ses compagnons, ici, le tracé a disparu, du moins au sens linéaire du terme. Il est fait de gradations, d'un halo de lumière et d'une prolifération de points de couleur. De même, dans les dessins de cette période, le crayon laisse un fin dépôt autour de la forme esquissée mais ne la circonscrit jamais d'un contour net.

PAUL SIGNAC (1863–1935)

Peint en 1886

Boulevard de Clichy à Paris

Toile, 46 × 66 cm
Institute of Arts, Minneapolis. Donation Putnam Dana McMillan

C'est avant de s'adonner à un divisionnisme systématique que Signac peignit cette toile. L'évocation de Paris montre encore ici une totale liberté de facture, les coups de pinceau ont la forme de virgules plutôt que des points qu'ils seront plus tard. Les tons blancs et bleus de la neige sont admirablement rendus. Le pinceau de l'artiste semble danser avec les flocons de neige.

C'est le Signac du début, le coloriste qui "pare les coins de Paris de lumière claire" (Arsène Alexandre).

Signac, selon Gustave Kahn, était "méthodique, toute ardeur et impulsivité cependant. Son admiration alla d'abord à Guillaumin. Il adopta ensuite les théories de Seurat, dont il devint le rival grâce à sa virtuosité de peintre. Il lisait beaucoup, était bibliophile". Que n'en s'est-il tenu aux théories et à la technique de ce *Boulevard de Clichy*. Bon écrivain et bon artisan, Signac abusa peut-être des théories divisionnistes, qu'il était moins préparé que Seurat à maîtriser et à violer.

Il fut l'un des fondateurs de la Société des Artistes Indépendants, qui, en 1884, aux Tuileries "ouvrit les yeux", comme Maupassant l'écrivit, "de tous ceux qui essayaient quelque chose de nouveau, tous ceux qui travaillaient sincèrement, cherchant hors des sentiers battus la vraie couleur, des teintes nouvelles, tout ce que l'école et une éducation classique trompeuse nous empêche de savoir et de comprendre".

150

MAURICE PRENDERGAST (1859–1924)

Peint en 1899

Ponte della Paglia

Toile, 71 × 58 cm
Collection Phillips, Washington

Ce fut en 1899, pendant un séjour de plusieurs mois à Venise (un voyage en Europe qu'avait rendu possible la générosité de Mme Montgomery Sears de Boston), que Maurice Prendergast peignit l'un de ses tableaux les plus étonnants.

Ce *Ponte della Paglia* au cœur de Venise, Prendergast le dépeint à coups vifs, tranchants pour signifier la foule des passants. Ces notations rapides, fluides, parfois en croix ou arrondies, ces cercles et ces ovales coupés par une verticale ou une horizontale sont encore dans la manière impressionniste et rappellent aussi la manière baroque de Cézanne.

Accroché dans le grand salon de Mme Duncan Phillips près de Washington, cette œuvre a la force d'un feu d'artifice.

Ce fut en voyant les toiles de Prendergast exécutées à Venise que Robert Henri l'invita en 1908 à participer à la célèbre exposition: la Huitième baptisée ainsi pour se moquer de l'Ecole Ashcan qui rassemblait les meilleurs artistes américains de l'époque.

Fils d'une famille pauvre, Prendergast commença à gagner sa vie très tôt comme artiste commercial. Avec le peu d'argent qu'il fut capable d'économiser, il partit pour Paris en 1886, et pendant trois ans il travailla à l'Académie Julian et à l'Atelier Colarossi. La réputation de cet artiste indépendant fut longue à venir, et ce manque de reconnaissance, comme le note Suzanne La Follette dans *L'Art en Amérique*, est "un jugement sévère du goût américain de cette époque".

Prendergast passa le reste de sa vie à New York, dans un atelier de Washington Square, où il mourut en 1924.

PIERRE BONNARD (1867–1947)

Peint en 1913

Salle à manger à la campagne

Toile, 160 × 225 cm
Institute of Arts, Minneapolis

Avec les panneaux qu'il peignit pour le Trocadéro et
ceux qui sont chez Mme Kapferer, c'est, je crois, l'un des
plus grands tableaux de Bonnard. Même quand il est reproduit en noir et blanc, on peut en admirer la solide
construction et le contrepoint de lumière et d'ombre.
Quand on le voit en couleur, l'harmonie en est encore
plus évidente.

Nos yeux sont charmés, attirés par cette réalité transfigurée par ce peintre du Merveilleux. Seul l'art le plus
consommé peut ainsi mener le regard du spectateur de
l'intérieur à l'extérieur et de nouveau à l'intérieur avec
ces zones de lumière et d'ombre qui s'équilibrent si par-
faitement.

Dans cette toile, nous voyons toute la splendeur de
l'été. Dehors parmi les verts lumineux, on croit entendre
tous les bruits d'un jour de juillet. A l'intérieur, un silence
complet semble régner. La palette est variée; elle va du
vermillon de la blouse de la femme qui se penche à contre-jour aux rouges empourprés de la tapisserie. Par son
contraste avec le reste, le mauve blanc du tissu de la nappe
sur la table ronde fait vibrer l'ensemble. Même le chat sur
la chaise a perdu toute signification anecdotique pour de-
venir un élément à part entière de cette œuvre admirable.

La manière est d'une grande liberté. Elle est souple,
obéissant à la sensibilité de l'artiste et s'adapte avec beaucoup d'apparente facilité au but proposé. Ainsi, en par-
tant d'une scène quotidienne – et au contraire de Turner,
sans perdre de vue le simple et l'ordinaire – Bonnard sait
créer une réalité autre.

108. Pierre Bonnard. *Les heures de la nuit.*
1983. Lithographie pour *Petites Scènes familières*

BIBLIOGRAPHIE

ADHÉMAR, HÉLÈNE, et DREYFUS-BRUHL, MADELEINE. *Catalogue des peintures, pastels, sculptures impressionnistes du Louvre.* Paris, 1958

ALEXANDRE, ARSÈNE. *La Collection Canonne: une histoire en action de l'Impressionnisme.* Bernheim Jeune, Paris, 1930

AURIER, ALBERT. *Œuvres posthumes.* Paris, 1893

BLANCHE, JACQUES-EMILE. *Les Arts plastiques.* Editions de France, Paris, 1931

———. *De Gauguin à la Revue Nègre.* Paris, 1928

CASSOU, JEAN. *Les Impressionnistes et leur époque.* Cercle Français d'art, Paris, 1953

COGNIAT, RAYMOND. *French Painting at the Time of the Impressionists.* Hyperion Press, New York, 1951

COQUIOT, GUSTAVE. *Les Indépendants.* J. Dardaillon, Paris, 1921

COURTHION, PIERRE. *Autour de l'Impressionnisme.* Nouvelles éditions françaises, Paris, 1964

———. *Manet.* Abrams, New York, 1961; Editions Cercle d'Art, Paris

———. *Seurat.* Abrams, New York, 1968; Editions Cercle d'Art, Paris

DENISE, MAURICE. *Du symbolisme au Classicisme, théories.* Paris, 1949

DURANTY, EDMOND. *La Nouvelle Peinture.* Librairie E. Dentu, Paris, 1876; nouvelle édition avec préface et notes de Marcel Guérin, Floury, Paris, 1946

DURET, THÉODORE. *Critique d'avant-garde.* Charpentier, Paris, 1885

———. *Histoire des peintres Impressionnistes.* Paris, 1894; 4th ed., Floury, Paris, 1939

FÉNÉON, FÉLIX. *Les Impressionnistes en 1886.* Publications de la Vogue, Paris, 1886

FERMIGIER, ANDRÉ. *Bonnard.* Abrams, New York, 1969; Editions Cercle d'Art, Paris

FÈVRE, HENRY. "Etude sur le Salon de 1886 et sur l'Exposition des Impressionnistes." *Demain,* Paris, 1886

FOCILLON, HENRI. *La Peinture aux XIX et XXème siècles.* H. Laurens, Paris, 1928

GEFFROY, GUSTAVE. *Histoire de l'Impressionnisme — La Vie Artistique, 3ème série (articles écrits après 1885).* Paris, 1894

GOLDWATER, ROBERT. *Gauguin.* Abrams, New York, 1958

HAMANN, RICHARD. *Der Impressionismus in Leben und Kunst.* Verlag des Kunstgeschichtlichen Seminars, Marburg, 1923

———, and HERMAND, JOST. *Impressionismus.* Berlin, 1960

HERBERT, ROBERT L. *Neo-Impressionism* (catalogue). The Solomon R. Guggenheim Museum, New York, 1968

———, ed. *Neo-Impressionists and Nabis in the Collection of Arthur G. Altschul* (catalogue). Yale University, New Haven, 1965

———, and EUGENIA W. "Artists and Anarchism: Unpublished Letters of Pissarro, Signac, and Others." *Burlington Magazine,* Vol. CII, novembre et décembre, 1960

HUYSMANS, JORIS-KARL. *L'Art moderne.* Charpentier, Paris, 1883

———. *Certains.* 5ème ed. Plon-Nourrit, Paris, 1908

KAHN, GUSTAVE. "Au Temps du Pointillisme." *Mercure de France,* avril 1924

KOEHLER, ERICH. *Edmond und Jules de Goncourt, die Begründer des Impressionismus.* Leipzig, 1912

LAPRADE, JACQUES DE. *L'Impressionnisme.* Aimery Somogy, Paris, 1956

LA SIZERANNE, ROBERT DE. *Questions esthétiques contemporaines.* Hachette, Paris, 1904

LECOMTE, GEORGES. *L'Art Impressionniste d'après la collection de M. Durand-Ruel.* Chammerot & Renouard, Paris, 1892

LETHÈVE, JACQUES. *Impressionnistes et Symbolistes devant la presse.* Armand Colin, Paris, 1959

LEYMARIE, JEAN. *Impressionnisme.* 2 vols. Skira, Genève, 1955

MARX, ROGER. *Maîtres d'hier et d'aujourd'hui.* Calmann-Lévy, Paris, 1914

———. *Un Siècle d'art.* Paris, 1900

MATHEY, FRANÇOIS. *The Impressionists.* Praeger, New York, 1961

MEIER-GRAEFE, JULIUS. *Impressionisten.* P. Piper, Munich, 1907

MELLERIO, ANDRÉ. *L'Exposition de 1900 et l'Impressionnisme.* Floury, Paris, 1900

MIRBEAU, OCTAVE. *Des Artistes,* 1ère série (articles parus en 1886–96). Flammarion, Paris, 1922

MOORE, GEORGE. *Reminiscences of the Impressionist Painters.* Maunsel, Dublin, 1906

MOSER, RUTH. *L'Impressionnisme français: Peinture, littérature, musique.* Librairie Droz, Genève, 1952

NOVOTNY, FRITZ. *Die grossen französischen Impressionisten.* Anton Schroll, Vienne, 1953

PACH, WALTER. *Renoir.* Abrams, New York, 1950

PICA, VITTORIO. *Gli Impressionisti francesi.* Istituto Italiano d'Arti Grafiche, Bergamo, 1908

PISSARRO, CAMILLE. *Letters to His Son Lucien,* édité avec l'assistance de Lucien par John Rewald. Pantheon, New York, 1943

PLATTE, HANS. *Les Impressionnistes.* Paris, 1963

POGU, GUY. *Néo-Impressionnistes étrangers et influences Néo-Impressionnistes.* Paris, 1963

———. *Sommaire de technologie divisionniste: Catalogue de l'exposition Hippolyte Petitjean.* Paris, 1955

RAGGHIANTI, C.L. *Impressionismo.* Chiantore, Turin, 1947

REUTERSVÄRD, OSCAR. "The 'Violettomania' of the Impressionists." *Journal of Aesthetics and Art Criticism,* Vol. IX, No. 2, décembre, 1950

REWALD, JOHN. *The History of Impressionism,* rev. ed. Museum of Modern Art, New York, 1961

———. *Pissarro.* Abrams, New York, 1963

———. *Post-Impressionism, from Van Gogh to Gauguin.* Museum of Modern Art, New York, 1958

RICH, DANIEL CATTON. *Degas.* Abrams, New York, 1951

RIVIÈRE, GEORGES. *L'Impressionniste, journal d'art.* Paris, 1877

SCHAPIRO, MEYER. *Cézanne.* Abrams, New York, 1952

———. *Van Gogh.* Abrams, New York 1950

SEITZ, WILLIAM C. *Monet.* Abrams, New York, 1960

SIGNAC, PAUL. *D'Eugène Delacroix au Néo-Impressionnisme.* Hermann, Paris, 1964

STEIN, MEIR. *Fransk Impressionisme.* Copenhague, 1962

STOLL, ROBERT THOMAS. *La Peinture Impressionniste.* Claire-fontaine, Lausanne, 1957

THON, LUISE. *Impressionismus als Kunst der Passivität.* Munich, 1927

UHDE, WILHELM. *The Impressionists.* Phaidon Press, Vienne, Oxford University Press, New York, 1937

VAUDOYER, JEAN-LOUIS. *Les Impressionnistes de Manet à Cézanne.* Nouvelles éditions françaises, Paris, 1948

VENTURI, LIONELLO. *Les Archives de l'Impressionnisme.* 2 vols. Durand-Ruel, Paris, New York, 1939

WALDMANN, EMIL. *Die Kunst des Realismus und des Impressionismus im 19. Jahrhundert.* Propyläenverlag, Berlin, 1927

WEISBACH, WERNER. *Impressionismus, ein Problem der Malerei in der Antike und Neuzeit.* 2 vols. G. Grotesche, Berlin, 1910

WILENSKI, R.H. *Modern French Painters.* Harcourt, Brace, New York, 1954

INDEX